KAAA Prompt Challenge 25 #001

프롬프트 아카이브 북

한국AI작가협회
김예은 외 25명 지음

목 차(Contents List)

협회소개

AI와 함께 인간의 창의성이 만나 창의적인 날개를 펼칠 수 있는 곳

AI는 이제 단순한 도구가 아닙니다. AI를 활용하는 사람과 그렇지 못한 사람의 차이는 무려 10,000배, 마치 사람과 금붕어의 차이만큼이나 엄청난 격차가 벌어질 것이라고 합니다. 이미 기업들은 AI 활용 능력을 채용의 필수 조건으로 요구하고 있습니다. 지금이 바로 AI를 배우고, 자신의 가치를 높여야 할 때입니다.

혹시 지금 이 순간에도 AI라는 거대한 파도 앞에서 막막함을 느끼고 계신가요? 배우고 싶지만 정보는 넘쳐나고, 믿을 만한 곳은 찾기 어렵습니다. 해외의 앞선 기술은 그림의 떡처럼 느껴지고, 혼자서는 도저히 따라갈 수 없을 것만 같습니다.

이제 혼자 고민하지 마세요! 한국AI작가협회는 바로 당신과 같은 고민을 가진 사람들이 모여 함께 성장하는 곳입니다.

우리는 처음부터 당신과 같은 고민을 가진 사람들을 위해 탄생했습니다.

- 배움에 목마른 당신을 위해: 최신 AI 기술 트렌드부터 실전 노하우까지, 믿을 수 있는 전문가들이 체계적인 교육 프로그램을 제공합니다.

- 질문이 많은 당신을 위해: 혼자 끙끙 앓지 마세요. 협회 커뮤니티에서 언제든 질문하고, 함께 고민하며 성장하는 즐거움을 누리세요.

- 언어 장벽에 답답한 당신을 위해: 해외 최신 정보와 자료를 한국어로 쉽게 접하고, 글로벌 AI 커뮤니티와 소통할 수 있는 기회를 제공합니다.

한국AI작가협회는 AI 작가라면 누구나 꿈꾸는 미래를 현실로 만들어 드립니다.

더 이상 망설이지 마세요! 지금 바로 한국AI작가협회의 문을 두드리고, AI 시대의 주인공이 되어 새로운 미래를 함께 만들어 갑시다!

☞ 협회는 어떤 사람에게 도움이 될까요?

• 나만의 콘텐츠로 세상을 감동시키고 싶은 당신: AI의 도움을 받아 그림, 영상, 글, 음악 등 다양한 형태의 콘텐츠를 제작하고, 세상과 소통하는 기쁨을 누려보세요.

• AI 기술을 활용하여 수익을 창출하고 싶은 당신: 협회의 지원을 통해 작품 전시, 판매, 저작권 보호 등 다양한 수익 창출 기회를 얻을 수 있습니다.

• AI 분야의 리더로 성장하고 싶은 당신: 협회의 네트워킹 기회를 통해 업계 전문가들과 교류하고, 최신 정보를 공유하며 끊임없이 성장하는 발판을 마련하세요.

☞ 누구든 환영합니다! ☜
AI 작가라면 누구나, 지금 바로 한국AI작가협회의 문을 두드리세요!
함께 성장하고, 함께 꿈꾸는 미래, 한국AI작가협회가 응원합니다!

회원가입 : https://bit.ly/aiart24

연혁

24.04.27	그림책, 마음을 잇다 전시	인사동 하나아트갤러리
23.12.21	가장 전통적인 공간과 메타버스의 만남 전시 (시어스랩 X 더밀크 X 한국AI작가협회)7일 진행	북촌 한옥마을 물나무 사진관
23.12.09	HYPE 카페 X PCW 4계절 콜렉션	매봉 카페 HYPE
23.11.23	2023 대한민국정부박람회	부산 벡스코 제2전시장
23.09-12	글쓰기 출판과정 1기	신중년을 위한 세상에서 가장 쉬운 AI 가이드 공저
23.09.15	Shanghai Art Collection Museum 업무협약	
23.08-09	제1기 AI기초강사 양성과정(2달 과정)	
23.07.01	예술, AI를 품고 날개를 달다 세계 첫 한중일 AI르네상스 (30일 진행)	청담 아트불갤러리
23.05.29	행운의 냥발 NFT 전시회(5일 진행)	대전 NFT카페 FOMO
23.04.26	한국AI작가협회, 엔페타 업무협약	
23.04.09	한일국제교류전시회 이시카와 현	HARMONIE 갤러리
23.04.03	한국AI작가협회 설립	

프롬프트 챌린지 : 창의력과 실력을 키우는 여정

프롬프트 챌린지는 그림을 보고 그에 대한 묘사를 통해 프롬프트를 만드는 과정입니다. 이 과정은 두 단계로 이루어집니다. 먼저, 그림을 보고 자신만의 프롬프트를 작성해 봅니다. 그런 다음, 다음 날 제공되는 프롬프트를 참고하여 응용하고 발전시키면서 실력을 키우는 여정입니다.

이 챌린지를 통해 창의력과 묘사 능력을 동시에 향상시킬 수 있습니다. 그림을 보고 떠오르는 생각을 글로 표현하고, 이를 반복하면서 점점 더 풍부하고 생동감 있는 프롬프트를 작성하게 될 것입니다. 이 과정을 통해 여러분의 글쓰기 실력은 물론, 창의적인 사고력도 한층 더 성장하게 될 것입니다.

챌린지 방법

이미지 묘사 작성 방법
1. 이미지를 보고 자유롭게 묘사를 해봅니다.
2. 묘사한 내용을 한글로 적습니다.
3. 한글로 적은 것을 영어로 번역하여 이미지를 직접 작성합니다.
4. 작성한 이미지와 함께 업로드합니다.

프롬프트 변형 작성 방법
1. 기존의 프롬프트를 연구합니다.
2. 부분을 수정합니다.(색상, 배경, 위치, 요소, 스타일 등)
3. 바뀐 부분 안내와 함께 프롬프트와 이미지를 올립니다.

첫 번째 프롬프트 챌린지 주제 : 여행의 매력

이번 1기 프롬프트 챌린지의 주제는 바로 "여행"입니다.
저는 챌린지가 여행과 닮아있다고 생각합니다.

여러분도 여행을 가보신 적이 있을 겁니다. 때로는 큰 기대를 품고 떠났다가 실망하는 여행도 있고, 별다른 기대 없이 떠났다가 놀라운 경험을 하는 여행도 있죠. 그렇다면 여행지에서 마음에 들지 않는다고 불평하며 숙소에만 머무르시겠습니까?
진정한 여행자라면, 기대에 못 미치는 여행지에서도 새로운 즐거움을 찾으려 노력할 것입니다.

여행은 때로 예상치 못한 기쁨과 만남을 선사합니다. 가이드가 마음에 들지 않더라도, 그 안에서 새로운 사람들과 어울리며 소중한 추억을 만들 수 있습니다. 이는 마치 챌린지와 같습니다. 어렵거나 지루하게 느껴지는 챌린지도, 새로운 접근 방식과 태도로 임하면 흥미로운 여정이 될 수 있습니다.

자, 이제 먼저 여행을 다녀오신 분들이 어떻게 31일 동안 그들의 여행을 즐겼는지 함께 알아보도록 할까요? 이들의 이야기는 여러분에게 새로운 영감을 줄 것입니다.

노바에듀(Novaedu)_김예은

000 Overalls_Day01~15

Prompt Artwork Collection

000 Overalls_Day16~30

Prompt Artwork Collection

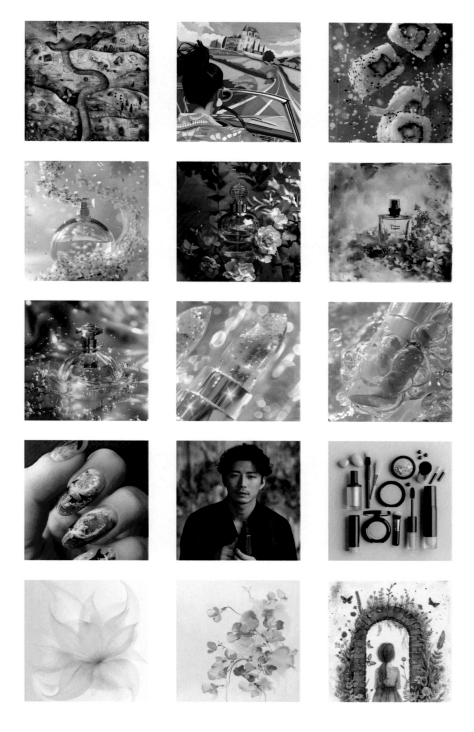

여행을 꿈꾸는 소녀

A cartoon illustration of a 20-year-old teenager is standing, dressed in a long dress and a travel backpack on her back, on an old suitcase, a teenager with her back to us, spreading her arms in front of a world map, 4k, sabby chic style, in shades of pink, beige and light turquoise, with a white background

20살 10대의 만화 일러스트, 긴 드레스와 여행용 배낭을 등에 메고 낡은 여행 가방 위에 서 있는 10대, 우리를 등지고 세계지도 앞에서 팔을 벌리고 있는 10대, 4k, 사비 치 스타일, 흰색 배경에 핑크, 베이지 및 밝은 청록색 음영

주요 표현 안내
사비치 스타일(sabby chic style) : 빈티지와 코티지 요소를 부드럽고 로맨틱한 색상과 질감으로 혼합하여 우아하면서도 낡고 환영받는 모습을 연출

비행기를 타러 가는 길

family arriving at an airport, storyboard illustration, in blue marker with a white background

공항에 도착하는 가족, 스토리보드 일러스트레이션, 흰색 배경에 파란색 마커 사용

주요 표현 안내
이번 이미지에서 중요한 것은 in blue marker 즉 파란색 마커로 그린 거라는 것과 storyboard illustration입니다.
스토리보드는 1920년에 디즈니에서 애니메이션을 만들었을 때 처음 도입되었다고 합니다.

실제 작업을 하기 전에 많이 사용되는데 시각화, 기억력, 공감대, 실행력을 표현하기 좋다고 합니다.

000-03

비행기 탑승

a cartoon for mobile game 2d, the interior of an airplane, The scene should depict the inside of a commercial aircraft cabin with passengers seated, attending flight attendants, overhead compartments, and detailed seat designs, in the style of realistic cartoon , luxurious, 3d

모바일 게임용 만화 2D, 비행기 내부, 장면은 승객이 앉아있는 상용 항공기 객실 내부, 승무원, 머리 위 칸, 세부 좌석 디자인을 사실적인 만화, 고급스러운 3D 스타일로 묘사해야 합니다

주요 표현 안내

이번 이미지에서 중요한 프롬프트는 모바일 게임용 만화 2D(a cartoon for mobile game 2d)와 사실적인 만화라는 in the style of realistic cartoon이에요. 그리고 저 앞에 있는 사람들은 승무원 attending flight attendants입니다.

모나리자가 비행기 탑승을!

The Mona Lisa is seated gracefully in a first-class airplane seat, her enigmatic smile capturing the attention of fellow passengers. Behind her, a large flight window reveals the vast expanse of clouds stretching to the horizon. The ambient hum of the aircraft complements the serene expression on her face, creating an intriguing juxtaposition of classic art and modern travel.

모나리자가 일등석 비행기 좌석에 우아하게 앉아 신비로운 미소로 동료 승객들의 시선을 사로잡고 있습니다. 모나리자 뒤에는 커다란 창문 너머로 수평선까지 펼쳐진 광활한 구름이 보입니다. 기내의 웅웅거리는 소리가 그녀의 평온한 표정과 어우러져 고전 예술과 현대 여행의 흥미로운 병치를 만들어냅니다.

주요 표현 안내

이번 이미지에서 중요한 프롬프트는 모나리자 뒤 창문에 비치는 수평선까지 펼쳐진 광활한 구름 배경 (behind her, a large flight window reveals the vast expanse of clouds stretching to the horizon) 그리고 고전예술과 현대 여행의 조화.(creating an intriguing juxtaposition of classic art and modern travel)입니다.

Juxtaposition은 두 개 이상의 요소를 나란히 놓는 행위나 상태를 말합니다. 주로 두 요소를 비교하거나 대조하거나, 유사점이나 차이점을 보여주기 위해 사용됩니다

병치 : 두 가지 대조되는 물체, 이미지 또는 아이디어가 함께 배치되거나 함께 설명되어 둘 사이의 차이점이 강조된다는 사실로 정의

주요 단어 안내

- reveals : 창 틀
- intriguing : 호기심을 돋우는, 흥미를 돋우는
- juxtaposition : 나란히 놓기, 나란히 세우기

참고 : 인기있는 아트 스타일

- 바우하우스(Bauhaus) : 1910년대 독일에서 시작된 바우하우스는 모던 디자인이 심플하고 기능적이며, 대중이 쉽게 재현할 수 있어야 한다는 개념을 바탕으로 해서 기하학적 모양과 간단한 선으로 이미지를 만들 수 있습니다.
- 인상파(Impressionism) : 19세기 중반 프랑스에서 시작된 인상파 화가는 찰나의 순간을 포착하고자 했습니다. 일상에서 쉽게 접하는 사람과 장소를 주제로 삼았지만 사실적인 묘사 대신 돋보이는 붓질과 강렬한 색채를 사용하여 빛을 담아내고 즉흥적인 느낌을 전달했습니다. 이 스타일을 사용하면 역동적인 느낌을 더할 수 있습니다.
- 입체파(Cubism) : 1900년대 초 파블로 피카소와 조르주 브라크를 통해 유명해진 입체파 스타일은 요소를 기하학적 모양을 세분화하고 피사체를 모든 각도에서 포착합니다. 입체파의 대표작가는 피카소입니다. 피카소의 많은 작품을 보면 피사체의 눈은 고르지 않고, 코는 2개로 하나는 옆모습이고 다른 하나는 반측면입니다. 입체파 스타일을 선택하면 기하학적 모양과 각도로 된 이미지가 자동으로 생성됩니다.
- 사이키델릭(Psychedelic) : 1960년대 록 음악에서 비롯된 예술 사조로, 몽롱하고 환각적인 분위기가 특징입니다. 패션에서는 색다른 무늬나 형광성이 강렬한 색감을 사용하는 스타일을 말합니다. 이 스타일을 사용하면 현란하면서도 유쾌한 이미지를 만들 수 있습니다.
- 스팀펑크(Steampunk) : 19세기 빅토리아 시대 스타일과 증기기관 기술, SF 및 판타지를 결합한 SF 스팀펑크 장르에서 비롯되었습니다. 스팀펑크 효과는 피사체에 고풍스러운 옷을 입히거나 고글을 씌우고, 멋지고 복잡해 보이는 기계가 등장합니다.
- 초현실주의(Surrealism) : 1920년대부터 초현실주의자는 무의식과 꿈, 인간이 경험할 수 있는 모든 것을 완전하게 표현하고자 했습니다. 몽환적인 분위기를 표현하거나 기묘한 순간을 묘사하는 데 좋습니다.
- 신스웨이브(Synthwave) : 2000년대 초반의 일렉트로닉 음악 장르이자, 1980년대 액션과 SF TV 프로그램을 연상시키는 시각적 스타일이기도 합니다. 밝은 분홍색, 보라색, 청록색이 특징이며 마치 1980년대 마이애미의 분위기가 느껴집니다.

첫 비행기 여행

a toddler is riding a commercial airplane in flight, deep colors,

유아가 비행 중인 상업용 비행기를 타고 있는 모습, 진한 색상,

주요 표현 안내
이번 이미지에서 첫 번째로 주요한 표현은 toddler라는 단어입니다.
12개월 정도의 걸음마를 시작하는 아이로 1-4세까지의 아이를 이야기합니다.

참고로 **아기를 뜻하는 용어**는 다음 페이지의 내용과 같습니다.

- baby : 출생에서 4세까지,
- 신생아(Newborn), 유아(Infant), 유아(Toddler) 모두 포함
- 신생아(Newborn) : 출생에서 2개월, 28일 미만 아이
- 유아(Infant) : 2개월 - 1세, 앉기 시작하는 나이부터 뜻함
- 유아(Toddler) : 1살 - 3살까지, 걸음마를 시작했거나 배우는 아기, 아기가 유치원에 갈 수 있을 때
- 미취학 아동(Preschooler) : 4살

2번째 주요한 표현은 **deep colors**입니다. 깊은 색상을 뜻하는 것으로 진한 색조를 띄는 색상을 이야기합니다. 깊은 색상을 사용하면 고급스럽고 깊은 느낌을 표현할 수 있습니다.

참고로 진한 색상의 반대말은 아래와 같습니다.
- 얕은 색상(Shallow colors) : 밝고 옅은 색상, 흰색이나 파스텔 색상
- 밝은 색상(Light colors) : 밝고 선명한 색상, 노란색, 주황색, 녹색
- 희미한 색상(Pale colors) : 옅고 희미한 색상, 연한 파란색, 연한 분홍색, 연한 회색

참고 : 색으로 바꾸는 예술의 느낌 : 효과적인 배색 방법
배색은 그림이나 디자인에서 색을 어떻게 조합하느냐를 말해요. 색을 잘 배치하면 작품의 느낌과 분위기가 확 달라질 수 있습니다. 디자인에서는 물체의 본래 색을 중요하게 생각하지만, 일러스트에서는 분위기와 감정을 표현하는 데 더 신경을 써요.

배색의 중요성
- 디자인의 고유색 : 디자인에서는 물체가 자연광 아래에서 보이는 본래 색을 중요하게 생각해요. 이 색을 통해 물체의 실제 모습을 전달하려는 거죠.
- 일러스트의 배색 : 일러스트에서는 본래 색보다는 분위기나 감정을 표현하는 데 중점을 둡니다. 주위 환경의 색이 영향을 미치기도 해요.

조화로운 배색의 효과
조화로운 배색은 보기 좋은 색 조합을 넘어 특정 분위기를 전달할 수 있어요. 여러 색을 가까이 배치하면 서로 영향을 주고받아요. 이 상호작용은 두 가지 결과를 가져옵니다:
1. 서로 보완하는 경우 : 색들이 서로를 돋보이게 하여 조화로운 느낌을 줍니다.
2. 조화되지 않는 경우 : 색들이 어울리지 않아 둘 다 칙칙해지거나 혼란스러운 느낌을 줄 수 있습니다.

예시
- 자연 속 풍경: 푸른 하늘과 초록 숲을 배경으로 한 그림은 조화로운 느낌을 줍니다. 파란색과 초록색은 색상환에서 가까이 위치한 색들로, 서로 잘 어울리기 때문에 평화롭고 자연스러운 분위기를 만들어냅니다.
- 화사한 꽃밭: 빨강, 주황, 노랑의 꽃들이 가득한 정원을 생각해보세요. 이 색들은 따뜻한 색조로, 함께 있을 때 밝고 활기찬 느낌을 줍니다. 서로 보완하며 생동감 넘치는 장면을 연출합니다.
- 아늑한 실내 공간: 부드러운 베이지와 따뜻한 브라운 색조를 사용한 인테리어는 편안하고 아늑한 분위기를 조성합니다. 명도와 채도가 조화를 이루어 시각적으로 편안한 느낌을 줍니다.

- 차분한 해변: 바다의 파란색과 모래의 연한 베이지색을 사용한 해변 풍경은 차분하고 평화로운 느낌을 줍니다. 차가운 파란색과 중립적인 베이지색이 조화를 이루어 안정감을 줍니다.

색채 이론과 색상환

색채 이론에 따르면 색상환에 따라 색을 배합하면 조화로운 배색을 만들 수 있어요. 색상환은 색들이 원형으로 배열된 것으로, 서로 인접한 색이나 대조되는 색을 조합하여 다양한 배색을 시도할 수 있습니다

예시

- 보색 배색: 빨간색과 초록색처럼 색상환에서 서로 반대편에 위치한 색들을 배합하면 강렬하고 눈에 띄는 조합을 만들 수 있습니다.
- 유사색 배색 : 파란색과 초록색처럼 색상환에서 가까이 위치한 색들을 배합하면 부드럽고 조화로운 느낌을 줄 수 있습니다.

배색을 통한 감정 표현
- 따뜻한 색감 : 빨강, 주황, 노랑 등의 색을 사용하면 따뜻하고 활기찬 느낌을 줄 수 있어요. 예를 들어, 노을을 표현할 때 이러한 색들을 사용하면 따뜻하고 포근한 분위기를 연출할 수 있습니다.
- 차가운 색감 : 파랑, 초록, 보라 등의 색을 사용하면 차분하고 시원한 느낌을 줄 수 있어요. 예를 들어, 밤하늘이나 바다를 표현할 때 이러한 색들을 사용하면 고요하고 평화로운 분위기를 만들 수 있습니다.

배색 패턴은 단순히 색상만으로 결정되지 않습니다. 색상을 포함하여 명도와 강도(채도)의 조합으로 만들어집니다. 이 세 가지 변수를 색의 3요소라고 합니다.

색상, 강도, 명도: 색의 기본 이해

색상 (Hue)
색상은 파란색, 노란색과 같은 색의 일반적인 이름을 의미합니다. 빛의 스펙트럼에서는 빨강, 주황, 노랑, 초록, 파랑, 인디고, 보라를 나타내는 ROYGBIV로 표현됩니다. 색상은 우리가 색을 식별할 때 가장 먼저 떠올리는 기준이 됩니다.

강도 (Intensity)

강도는 색상의 순도를 나타내며, 채도(Saturation)나 색도(Chroma)라고도 불립니다. 순도가 높은 색은 더 선명하고 눈에 띄며, 순도가 낮은 색은 더 흐릿하고 중성적인 느낌을 줍니다.

명도 (Value)

명도는 색의 밝기 또는 어두움을 나타내는 정도입니다. 모든 색에는 명도가 있습니다. 예를 들어, 명도가 높은 빨간색은 밝은 빨간색이 되고, 명도가 낮은 빨간색은 어두운 빨간색이 됩니다. 분홍색은 명도가 높은 빨간색의 한 예입니다.

색상의 온도와 명도의 관계

명도를 바꿀 때는 색의 온도(색상)를 고려하는 것이 중요합니다. 색상의 온도는 색이 따뜻한 느낌을 주는지, 차가운 느낌을 주는지를 결정합니다.

예시

쉽고 재미있는 예시로 설명해볼게요.

1. 하늘의 변화 :
    - 낮 동안의 하늘을 생각해보세요. 해가 중천에 떠 있을 때 하늘은 밝고 파란색이죠. 이건 명도가 높은 파란색이에요.
    - 해가 지고 나면 하늘은 짙은 남색으로 변해요. 이건 명도가 낮은 파란색이죠. 같은 파란색이라도 명도가 다르면 이렇게 다른 느낌을 줍니다.

2. 사과의 색상 :
    - 빨간 사과를 생각해보세요. 신선한 빨간 사과는 명도가 높아 밝고 생동감 있는 빨간색입니다.
    - 이 사과를 어두운 곳에 두면 어떻게 될까요? 명도가 낮아져 어두운 빨간색, 즉 딥 레드가 됩니다. 이 사과는 여전히 빨간색이지만, 명도의 차이로 인해 색상이 다르게 느껴집니다.

3. 바닷가의 모래 :
    - 해변가의 모래를 생각해보세요. 낮에는 햇빛을 받아 밝고 따뜻한 베이지 색이에요. 명도가 높은 상태죠.
    - 해가 지고 어두워지면, 같은 모래가 어두운 갈색으로 변합니다. 명도가 낮아진 거죠. 하지만 같은 모래라는 사실은 변하지 않아요.

색상, 강도, 명도, 그리고 색상의 온도를 잘 이해하면 색을 훨씬 더 효과적으로 활용할 수 있습니다. 이렇게 색의 기본 요소들을 제대로 활용하면, 여러분의 디자인이나 예술 작품에 풍부한 표현력을 더할 수 있습니다. 배색을 통해 원하는 분위기와 느낌을 조화롭게 표현하는 방법을 익히세요. 색채 이론을 이해하고 응용하면, 작품에 더욱 깊이 있는 감정을 담아낼 수 있습니다. 조화로운 배색을 만드는 법을 배우고, 이를 통해 여러분의 창작물에 생동감을 불어넣으세요!

참고 : https://www.clipstudio.net/drawing/archives/156557 (내용)

말 잘 듣는 착한 아이가 가질 수 있는 선물은 레고!

It's A pastoral plane made of Lego bricks, pixel style, everything is made of bricks, there's a little house, there's a rainbow, there's a teddy bear, there's a Shukbeta, there's Transformers, there's Doraemon, there's Mickey

레고 브릭으로 만든 목가적인 비행기, 픽셀 스타일, 모든 것이 브릭으로 만들어져 있고, 작은 집, 무지개, 테디 베어, 슈크베타, 트랜스포머, 도라에몽, 미키가 있고, 모든 것이 브릭으로 만들어져 있습니다.

주요 표현 안내
이번 이미지에서 중요한 표현은 Lego bricks, Pixel style이에요. 그리고 모든 것은 블록으로 만들어져 있다.(everything is made of bricks) 입니다.

꼭 해야 하는 부분은 2번 강조 잊지 마세요!

아이가 꿈꾸는 여행 스케치

a toddler´s drawing of airplane drawn with crayons on a simple white background in a cartoon style with simple line art and pastel colors, fun, creative, airplanes, stars, sky, clouds, cute

단순한 선 아트와 파스텔 색상, 재미, 창의적인, 비행기, 별, 하늘, 구름, 귀여운 만화 스타일의 단순한 흰색 배경에 크레용으로 그려진 유아의 비행기 그리기

주요 표현 안내

이번 이미지에서 중요한 표현은 아이가 그린 그림을 이야기 할 때 toddler 라는 단어를 쓰시면 됩니다. 저번 시간에 배우셨죠? toddler는 1-4세까지의 아이를 뜻합니다.
그리고 with crayons on a simple (그림 그리는 곳) 이렇게 쓰시면 되고요. 라인이 단순한 것은 in a cartoon style with simple line art and pastel colors 입니다. 좀 더 창의적이고 싶을 때는 creative라는 단어를 넣으시면 돼요.

장거리 비행에는 한식이 최고!

A photorealistic image. Aerial view of Oven-browned feta on slices of aubergine, diced courgette, small pieces of pepper and onion rings. on a plate on an empty wooden table. Balanced contrast and saturation, daylight, high key, bright, natural colour gradation, professional food photography, ultra photorealistic, super detailed. Taken in a well-lit studio

사실적인 이미지. 오븐에서 구운 페타 치즈를 가지 조각, 잘게 썬 애호박, 작은 후추 조각과 양파 링 위에 올려놓은 조감도. 빈 나무 테이블 위에 접시에 담았습니다. 균형 잡힌 콘트라스트와 채도, 일광, 하이키, 밝고 자연스러운 색상 그라데이션, 전문적인 음식 사진, 매우 사실적이고 매우 디테일합니다. 조명이 밝은 스튜디오에서 촬영

주요 표현 안내
이번 이미지에서 중요한 키워드는 앞에 사실적인 이미지라고 A photorealistic image. 이렇게 적어주시고요. 뒷부분에 Balanced contrast and saturation, daylight, high key, bright, natural colour gradation, professional food photography, ultra photorealistic, super detailed. Taken in a well-lit studio 이렇게 전문적인 음식사진인데 조명이 밝은 스튜디오에서 촬영했다고 알려주는 겁니다.

참고 : 맛있는 음식 사진을 만드는 방법
맛있는 음식 사진을 찍기 위해서는 몇 가지 중요한 요소들을 잘 활용해야 해요. 운동(Motion), 각도(Angle), 구성(Composition), 조명(Lighting), 설정(Settings) 등이 그 예입니다.

1. 운동 (Motion)
음식 사진에 움직임을 더하면 역동적이고 흥미로운 이미지를 만들 수 있어요. 예를 들어, 튀김 음식의 바삭함을 강조하기 위해 튀김 가루가 튀는 순간을 포착해 보세요.

예시 1. 강력한 노란 먼지가 폭발하는 새우 타코
프롬프트 : "Food photography, powerful explosion of yellow dust of a shrimp taco, studio light, black plain background, studio lighting."
내용 : 강력한 노란 먼지가 폭발하는 새우 타코를 촬영한 음식 사진. 스튜디오 조명과 검은 배경을 사용하여 타코의 바삭함과 맛있음을 강조합니다.

예시 2. 꿀이 떨어지는 매크로 샷
프롬프트 : "Food photography, macro shot, honey dripping, color hierarchy, light and shade contrast, dof."
내용 : 감각적인 이미지를 연출하기 위해서는 매크로 샷을 이용하면 보다 음식을 맛있어 보이게 만들 수 있습니다. 예를 들어, 꿀이 떨어지는 장면을 찍으면 꿀의 질감과 황금빛 색상이 강조됩니다.

2. 각도(Angle)

맛있는 음식 사진을 찍으려면 몇 가지 중요한 요소들을 알아야 해요. 오늘은 음식 사진을 찍을 때 어떤 각도가 좋은지 알아볼게요.

1) Back Angle (뒤에서 찍기)
- 설명: 음식을 뒤에서 찍는 거예요. 피자의 뒤쪽을 찍어서 치즈와 토핑을 잘 보여줄 수 있어요.
- 예시 프롬프트: "Food Photography, back angle of a freshly baked pizza showing melted cheese and toppings, studio light."
- 번역: "갓 구운 피자를 뒤에서 찍은 사진으로, 녹은 치즈와 토핑을 보여줍니다. 스튜디오 조명 사용."

2) Front View (앞에서 찍기)
- 설명: 음식을 앞에서 찍는 거예요. 샌드위치의 모든 층을 보여줄 수 있어요.
- 예시 프롬프트: "Food Photography, front view of a stacked sandwich with layers of ham, cheese, lettuce, and tomato, natural light."
- 번역: "햄, 치즈, 상추, 토마토가 층층이 쌓인 샌드위치를 앞에서 찍은 사진, 자연광 사용."

3) High Angle (위에서 찍기)
- 설명: 음식을 위에서 찍는 거예요. 수프의 전체 모양을 잘 보여줄 수 있어요.
- 예시 프롬프트: "Food Photography, a creamy tomato soup with a swirl of fresh cream, topped with crispy croutons and a sprinkle of basil, high angle."
- 번역: "크리미한 토마토 수프에 신선한 크림 소용돌이가 있고, 바삭한 크루통과 바질이 뿌려진 모습을 위에서 찍은 사진."

4) Low Angle (아래에서 찍기)
- 설명: 음식을 아래에서 찍는 거예요. 햄버거가 크고 멋져 보이게 할 수 있어요.
- 예시 프롬프트: "Food Photography, low angle of a juicy burger with melted cheese and fresh vegetables, outdoor setting."
- 번역: "녹은 치즈와 신선한 야채가 들어간 육즙이 많은 햄버거를 아래에서 찍은 사진, 야외 설정."

5) Profile Angle (옆에서 찍기)
- 설명: 음식을 옆에서 찍는 거예요. 케이크의 층을 잘 보여줄 수 있어요.
- 예시 프롬프트: "Food Photography, profile angle of a chocolate cake slice with visible layers of cream and sponge, studio light."
- 번역: "크림과 스펀지 층이 보이는 초콜릿 케이크 조각을 옆에서 찍은 사진, 스튜디오 조명."

3. 구성 (Composition)
프레임 안의 음식 놓기는 사진을 더욱 매력적으로 보여줄 수 있어요. 음식의 색상, 크기, 형태, 놓기 순서를 잘 고려하면 사진의 시각적인 효과가 높아집니다. 다양한 놓기 방법을 알아볼까요?

1) 비대칭 놓기 (Uneven Placement)
- 설명: 음식을 서로 다른 위치에 놓아서 균형을 맞추지 않고 놓는 거예요.
- 예시 프롬프트: "Food Photography, asymmetrical composition of a variety of colorful vegetables on a wooden table, natural light."
- 번역: "다양한 색상의 채소를 나무 테이블 위에 비대칭으로 놓은 음식 사진, 자연광 사용."

2) 대각선 놓기 (Diagonal Placement)
- 설명: 음식을 대각선으로 놓는 거예요. 사진이 더 역동적으로 보일 수 있어요.
- 예시 프롬프트: "Food Photography, diagonal composition of a plate of sushi rolls on a dark slate, studio light."
- 번역: "다크 슬레이트 위에 놓인 스시 롤을 대각선으로 놓은 음식 사진, 스튜디오 조명 사용."

3) 모양대로 놓기 (Shape Placement)
- 설명: 원이나 사각형처럼 모양대로 음식을 놓는 거예요.
- 예시 프롬프트: "Food Photography, geometric composition of a breakfast spread with pancakes, fruits, and coffee arranged in circles, natural light."
- 번역: "팬케이크, 과일, 커피로 구성된 아침 식사를 원형으로 놓은 음식 사진, 자연광 사용."

4) 정리해서 놓기 (Knolling / Neat Placement)
- 설명: 음식을 정리정돈하여 깔끔하게 놓는 거예요.
- 예시 프롬프트: "Food Photography, knolling composition of various baking ingredients like flour, eggs, sugar, and measuring spoons arranged neatly on a wooden surface, top view, natural light."
- 번역: "밀가루, 달걀, 설탕, 계량 스푼 등 다양한 베이킹 재료를 나무 표면에 깔끔하게 놓은 음식 사진, 탑뷰, 자연광 사용."

5) 대칭 놓기 (Mirror Placement)
- 설명: 음식을 양쪽이 같게 놓는 거예요. 정돈되고 안정감 있게 보일 수 있어요.
- 예시 프롬프트: "Food Photography, symmetrical composition of a variety of colorful macaroons arranged in a perfect circle, studio light."
- 번역: "다양한 색상의 마카롱을 완벽한 원형으로 놓은 대칭 구성의 음식 사진, 스튜디오 조명 사용."

6) 삼등분 놓기 (Rule of Thirds)
- 설명: 사진을 가로와 세로로 삼등분하여 중요한 요소를 그 교차점에 놓는 거예요.
- 예시 프롬프트: "Food Photography, rule of thirds composition of a slice of chocolate cake with a fork on the side, natural light."
- 번역: "초콜릿 케이크 조각과 포크를 삼등분의 법칙에 따라 놓은 음식 사진, 자연광 사용."

4. 조명 (Lighting)
조명은 음식의 질감, 색상, 디테일을 강조하는 데 도움이 되며, 분위기를 조성하는 데도 중요한 역할을 합니다. 어떤 종류의 조명을 선택하느냐에 따라 공간이 훨씬 더 따뜻하고 친근한 느낌을 줄 수도 있고, 반대로 훨씬 더 쿨하고 모던한 느낌을 줄 수도 있습니다. 다양한 조명 방법을 알아볼까요?

1) 고급 조명 (Fancy Lighting)
- 설명: 전문가용 조명을 사용하여 음식을 더욱 돋보이게 만드는 거예요.
- 예시 프롬프트: "Food Photography with advanced lighting showcasing a gourmet dish in a sophisticated setting."
- 번역: "고급 조명을 사용하여 고급스러운 요리를 돋보이게 하는 음식 사진."

2) 아름다운 햇빛 (Beautiful Sunlight)
- 설명: 햇빛을 사용하여 자연스럽고 따뜻한 느낌을 주는 거예요.
- 예시 프롬프트: "Food Photography, beautiful sunlight illuminating a fresh salad on a rustic table."
- 번역: "아름다운 햇빛이 비추는 신선한 샐러드를 나무 테이블 위에 놓은 음식 사진."

3) 아침 빛 (Morning Light)
- 설명: 아침의 부드러운 빛을 사용하여 신선하고 밝은 느낌을 주는 거예요.
- 예시 프롬프트: "Food Photography, morning light shining on a breakfast table with pancakes and juice."
- 번역: "아침 빛이 비추는 팬케이크와 주스가 있는 아침 식사 테이블의 음식 사진."

4) 자연광 (Natural Light)
- 설명: 창문을 통해 들어오는 자연광을 사용하여 부드럽고 자연스러운 느낌을 주는 거예요.
- 예시 프롬프트: "Food Photography, natural light from a window highlighting a plate of fresh fruits."
- 번역: "창문에서 들어오는 자연광이 신선한 과일 접시를 비추는 음식 사진."

5) 부드러운 그림자 빛 (Soft Shadow Light)
- 설명: 부드러운 그림자를 만들어 음식을 더욱 입체적으로 보이게 하는 거예요.
- 예시 프롬프트: "Food Photography, soft shadow light on a bowl of warm soup, creating a cozy atmosphere."
- 번역: "부드러운 그림자 빛이 따뜻한 수프 그릇을 비추어 아늑한 분위기를 만드는 음식 사진."

6) 스튜디오 조명 (Studio Lighting)
- 설명: 스튜디오에서 사용하는 인공 조명을 사용하여 전문가처럼 음식을 촬영하는 거예요.
- 예시 프롬프트: "Food Photography, studio lighting on a beautifully plated dessert, showcasing its details."
- 번역: "스튜디오 조명을 사용하여 아름답게 담긴 디저트를 촬영한 음식 사진."

7) 햇빛 (Sunlight)
- 설명: 강렬한 햇빛을 사용하여 밝고 명랑한 느낌을 주는 거예요.
- 예시 프롬프트: "Food Photography, bright sunlight shining on a picnic table with a variety of snacks."
- 번역: "밝은 햇빛이 다양한 간식이 놓인 피크닉 테이블을 비추는 음식 사진."

8) 따뜻한 빛 (Warm Light)
- 설명: 따뜻한 색감의 빛을 사용하여 아늑하고 포근한 느낌을 주는 거예요.
- 예시 프롬프트: "Food Photography, warm light illuminating a cozy dinner setting with a bowl of stew."
- 번역: "따뜻한 빛이 포근한 저녁 식사와 스튜 그릇을 비추는 음식 사진."

5. 설정 (Setting)
이미지의 전체적인 분위기를 정하는 것은 매우 중요해요. 어떤 느낌의 이미지를 만들지 결정하는 것은 브랜드의 이미지를 보여주기 때문에 중요해요. 다양한 설정 방법을 알아볼까요?

1) 권위 있는 (Classic)
- 설명: 전통적이고 품위 있는 느낌을 줘요.
- 예시 프롬프트: "Classic setting for food photography with a vintage table, elegant dishware, and ambient lighting to create a prestigious mood."
- 번역: "빈티지 테이블과 우아한 식기, 부드러운 조명을 사용하여 권위 있는 분위기를 만드는 음식 사진 설정."

2) 우아한 (Elegant)
- 설명: 세련되고 품격 있는 느낌을 줘요.
- 예시 프롬프트: "Elegant setting for food photography with delicate dishware, fine linens, and soft lighting to create a refined and graceful mood."
- 번역: "섬세한 식기, 고급스러운 린넨, 부드러운 조명을 사용하여 우아한 분위기를 만드는 음식 사진 설정."

3) 고급스러운 (Luxurious)
- 설명: 화려하고 고급스러운 느낌을 줘요.
- 예시 프롬프트: "Luxurious setting for food photography with opulent dishware, rich textures, and dramatic lighting to create a high-end and sophisticated mood."
- 번역: "화려한 식기, 풍부한 질감, 극적인 조명을 사용하여 고급스러운 분위기를 만드는 음식 사진 설정."

4) 최소 (Minimal)
- 설명: 단순하고 깔끔한 느낌을 줘요.
- 예시 프롬프트: "Minimal setting for food photography with simple dishware, clean lines, and natural lighting to create a modern and uncluttered mood."
- 번역: "단순한 식기, 깨끗한 선, 자연광을 사용하여 최소한의 깔끔한 분위기를 만드는 음식 사진 설정."

5) 로맨틱 (Romantic)
- 설명: 따뜻하고 사랑스러운 느낌을 줘요.
- 예시 프롬프트: "Romantic setting for food photography with candlelight, delicate flowers, and soft lighting to create an intimate and warm mood."
- 번역: "촛불, 섬세한 꽃, 부드러운 조명을 사용하여 로맨틱한 분위기를 만드는 음식 사진 설정."

6) 고요한 (Serene)
- 설명: 조용하고 평화로운 느낌을 줘요.
- 예시 프롬프트: "Serene setting for food photography with a tranquil garden background, soft natural light, and simple dishware to create a peaceful and calm mood."
- 번역: "조용한 정원 배경, 부드러운 자연광, 단순한 식기를 사용하여 고요한 분위기를 만드는 음식 사진 설정."

7) 열렬한 (Tropical)
- 설명: 활기차고 생동감 있는 느낌을 줘요.
- 예시 프롬프트: "Tropical setting for food photography with vibrant fruits, lush greenery, and bright natural light to create a lively and energetic mood."
- 번역: "화려한 과일, 무성한 초록 잎, 밝은 자연광을 사용하여 열렬한 분위기를 만드는 음식 사진 설정."

8) 따뜻한 빛 (Warm Light)
- 설명: 따뜻한 색감의 빛을 사용하여 아늑하고 포근한 느낌을 주는 거예요.
- 예시 프롬프트: "Food Photography, warm light illuminating a cozy dinner setting with a bowl of stew."
- 번역: "따뜻한 빛이 포근한 저녁 식사와 스튜 그릇을 비추는 음식 사진."

AI 아트는 사진작가가 사진을 찍을 때 도움이 될 수 있는 멋진 도구예요. 이 기술은 사진작가가 새로운 아이디어를 떠올리게 하고, 사진을 찍기 전에 어떤 식으로 찍을지 연습할 수 있게 도와줘요.

- 아이디어 제공: AI 아트로 만든 이미지는 새로운 아이디어를 줄 수 있어요. 프로젝트에 어떤 사진을 찍을지 생각할 때 도움이 돼요.
- 사진 연습: 사진을 찍기 전에 AI 아트로 연습할 수 있어요. 이렇게 하면 더 멋진 사진을 찍을 수 있어요.
- 새로운 시도: AI 아트를 사용하면 새로운 방법으로 사진을 찍어볼 수 있어요. 다양한 시도를 통해 놀라운 사진을 만들 수 있어요.
- 스타일 만들기: AI 아트를 이용하면 자신만의 독특한 스타일을 만들 수 있어요. 다양한 기능을 사용해서 원하는 스타일과 느낌을 표현할 수 있어요.

000-09

여름엔 시원한 탄산수 한 잔

A glass of sparkling water with lemon and grapefruit slices, ice cubes on the beach under a blue sky with white clouds, surrounded by crystal clear waves, with colorful fruits scattered around, sunlight shining through the clouds onto the sea surface, creating a beautiful scenery. The background is blurred and filled with bright colors. in the style of impressionism.

레몬과 자몽 조각을 곁들인 탄산수 한 잔, 하얀 구름이 있는 푸른 하늘 아래 해변의 얼음 조각, 수정처럼 맑은 파도에 둘러싸여 형형색색의 과일이 흩어져 있고 구름 사이로 햇빛이 해수면에 비쳐 아름다운 풍경을 연출합니다. 배경은 흐릿하고 밝은 색상으로 채워져 있습니다. 인상주의 스타일로.

주요 표현 안내
이번 이미지에서 중요한 부분은 creating a beautiful scenery. The background is blurred and filled with bright colors. in the style of impressionism 입니다.
아름다운 장면을 만들었다. 배경은 흐릿하고 밝은 색상으로 채워져 있다. 인상파 스타일이다.

000-10

여름엔 시원한 탄산수 한 잔

A glass of sparkling water with ice cubes, lemon and grapefruit slices on the beach under a blue sky and white clouds, surrounded by fresh fruit elements. The background is an endless sea with full sunshine, blue waves crashing against rocks, and colorful fruits floating in crystal clear waters. The photography has a high definition, uses natural light, a wide angle lens, and clear focus with cool tones to create a refreshing feeling.

푸른 하늘과 흰 구름 아래 해변에서 얼음 조각, 레몬, 자몽 조각을 얹은 탄산수 한 잔과 신선한 과일로 둘러싸여 있습니다. 배경은 햇살이 가득한 끝없는 바다, 바위에 부딪히는 푸른 파도, 수정처럼 맑은 바닷물에 떠 있는 형형색색의 과일입니다. 이 사진은 고화질에 자연광, 광각 렌즈, 시원한 톤의 선명한 초점을 사용하여 상쾌한 느낌을 연출합니다.

주요 표현 안내

저번 이미지와의 차이점은 인상주의 스타일이 아닌 사진이란 점이었어요 ^^

The photography has a high definition, uses natural light, a wide angle lens, and clear focus with cool tones to create a refreshing feeling.

이 사진은 고화질에 자연광, 광각 렌즈, 시원한 톤의 선명한 초점을 사용하여 상쾌한 느낌을 연출합니다. 저번에는 배경이 흐릿하고 밝은 색상이었죠 ^^

참고 : 현실적인 사진을 만들기 위한 쉬운 프롬프트와 예시

1. Award winning Photography: 사진 대회에서 상을 받은 멋진 사진
   - 예시: "Award winning Photography of a sunset over the mountains."
   - 번역: "산 위로 지는 해를 찍은 수상작 사진"

2. Realistic Photography: 실제 세상의 상황을 그대로 담은 사진
   - 예시: "Realistic Photography of a busy city street."
   - 번역: "붐비는 도시 거리를 찍은 실제 사진"

3. Hyper Realistic: 정말 사실적으로 보이는 사진
   - 예시: "Hyper Realistic image of a drop of water on a leaf."
   - 번역: "잎 위의 물방울을 찍은 매우 사실적인 사진"

4. Super-Detailed: 아주 작은 부분까지 자세히 찍은 사진
   - 예시: "Super-Detailed photo of a butterfly's wings."
   - 번역: "나비의 날개를 아주 자세히 찍은 사진"

5. Documentary Style: 실제 사건이나 일상을 찍은 사진
   - 예시: "Documentary Style photo of a market day in a small village."
   - 번역: "작은 마을의 시장 날을 찍은 다큐멘터리 스타일 사진"

6. Candid Shot: 사람들이 자연스럽게 있는 모습을 찍은 사진
   - 예시: "Candid Shot of children playing in the park."
   - 번역: "공원에서 노는 아이들을 자연스럽게 찍은 사진"

7. Nature Close-Up: 꽃이나 곤충처럼 자연의 작은 것을 자세히 찍은 사진
   - 예시: "Nature Close-Up of a bee on a flower."
   - 번역: "꽃 위의 벌을 자세히 찍은 사진"

8. **Portrait with Emotion**: 사람들이 감정을 표현하는 얼굴 사진
   - **예시**: "Portrait with Emotion of a laughing elderly woman."
   - **번역**: "웃고 있는 노인 여성의 감정이 담긴 얼굴 사진"

갑자기 다투는 승객들

angry passengers on a commercial flight shaking their fists and shouting. on the left are rows of passengers in three seats representing economy. on the right are rows of passengers in two seats representing first class. in the style of a four-panel stick figure web comic.

주먹을 흔들며 소리를 지르는 화난 승객의 모습 왼쪽은 이코노미석을 상징하는 세 개의 좌석에 앉은 승객들. 오른쪽은 퍼스트 클래스를 상징하는 두 개의 좌석에 앉은 승객들. 네 컷 만화 스타일의 스틱 피겨 웹만화입니다.

주요 표현 안내
이번 이미지에서 중요한 키워드는 네 컷 만화 스타일의 스틱 피겨 웹만화라는 겁니다.
스틱피겨(stick figures)란 단순하여 누구나 그릴 수 있고 표현력도 풍부한 사용자 친화적인 그래픽으로 사람형상을 선으로 그린 겁니다.

비행기에서 준 선물

a minimalist t-shirt design representing a flight attendant person, Incorporate subtle aviation elements such as airplane silhouettes, clouds, or wing motifs to evoke the sense of aspiring to soar into the skies

승무원을 상징하는 미니멀한 티셔츠 디자인에 비행기 실루엣, 구름, 날개 모티브 등 미묘한 항공 요소를 접목해 하늘로 날아오르고 싶은 열망을 불러일으키는 감각을 담아냈습니다.

주요 표현 안내
이번 이미지에서 중요한 표현은 sense of aspiring to soar into the skies
즉, 하늘로 날아오르고 싶은 열망을 불러일으키는 감각입니다.

여기가 어디야!

cartoon style, a confused tourist holding a map, looking unsure, in front of landmarks in Helsinki Finland, Helsinki cathedral, white church, street signs with a word "KAAA" pointing different directions

만화 스타일, 핀란드 헬싱키의 랜드마크, 헬싱키 대성당, 하얀 교회, 다른 방향을 가리키는 "KAAA"라는 단어가 적힌 거리 표지판 앞에서 지도를 들고 혼란스러워하는 관광객, 확신하지 못하는 표정

주요 표현 안내
이번 이미지에서 중요한 표현은 확신하지 못하는 표정 : looking unsure입니다.
아무래도 지도를 봐도 혼란스러운 거죠.
여기서 혼란이란 것은 confused 입니다.

여행자를 위한 안내소를 찾아서

flat icon illustration depicting a bus on a trifold map, side view, very simple, very little vectors, white background, clean, dark blue with yellow accent colors, transparent background

삼중 지도에 버스를 묘사하는 평면 아이콘 일러스트, 측면도, 매우 단순하고 매우 작은 벡터, 흰색 배경, 깨끗하고 진한 파란색과 노란색 강조 색상, 투명한 배경

주요 표현 안내

이번 이미지에서 중요한 부분은 깔끔한 이미지를 만들고 싶으실 때는 평면 아이콘 일러스트(flat icon illustration) 이라고 적는 부분이고, 매우 단순하고 매주 작은 벡터(very simple, very little vectors)라고 적으시면 됩니다. 투명한 배경은 transparent background이고요.

지나가는 소녀에게 길을 묻다!

A girl riding her bike in front of the convenience store "24HFocus Mart" at an intersection, simple drawing style, Japanese animation style, Qversion manga artstyle, color blocks, simple lines, white background, Miyazaki Hayao's cartoon handdrawn illustration, high definition, high resolution, high detail, masterpiece, best quality

교차로에서 편의점 "24H 포커스 마트"앞에서 자전거를 타는 소녀, 단순한 그림 스타일, 일본 애니메이션 스타일, 큐버전 만화 아트 스타일, 컬러 블록, 단순한 선, 흰색 배경, 미야자키 하야오의 만화 핸드 드로잉 일러스트, 고화질, 고해상도, 고 디테일, 걸작, 최고 품질

주요 표현 안내

이번 이미지에서 알아두실 부분은 단순한 그림 스타일 (simple drawing style)과 단순한 선 (simple lines)입니다. 애니풍으로 표현할 때는 일본 애니메이션 스타일(Japanese animation style), 큐버전 만화 아트 스타일(Qversion manga artstyle) 그리고 참고할 만화 스타일인 미야자키 하야오의 만화인데 손으로 그린 것 같은 느낌이란 뜻을 적어주시면 됩니다. (Miyazaki Hayao's cartoon handdrawn illustion) 그리고 작품이란 뜻의 걸작(masterpiece)를 넣어주시면 더 멋진 작품이 나오는 데, 단순하지만 고퀄리티이고 싶으면 고화질(high definintion), 고해상도 (high resolution), 고 디테일(high detail), 최고 품질(best quality)를 쓰시면 됩니다.

참고 : 애니메이션을 위한 프롬프트와 예시

1. Pixar Style : 사실적이면서도 밝고 활기찬 색감과 정교한 캐릭터 디자인이 특징
   - 프롬프트: "A friendly robot in a vibrant, colorful city in Pixar style."
   - 번역: "픽사 스타일의 활기차고 색감이 풍부한 도시에서의 친근한 로봇"

2. Classic Disney : 부드럽고 둥근 선과 따뜻한 색감, 그리고 동화 같은 배경이 특징
   - 프롬프트: "A magical forest with talking animals in classic Disney style."
   - 번역: "고전 디즈니 스타일의 말하는 동물들이 있는 마법의 숲"

3. Studio Ghibli : 자연스럽고 세밀한 배경, 그리고 감성적인 캐릭터가 특징
   - 프롬프트: "A peaceful village with lush green hills in Studio Ghibli style."
   - 번역: "스튜디오 지브리 스타일의 푸른 언덕이 있는 평화로운 마을"

4. Simpsons Cartoon Style : 단순하고 과장된 캐릭터 디자인과 유머러스한 상황이 특징
   - 프롬프트: "A typical suburban family having dinner in Simpsons cartoon style."
   - 번역: "심슨 스타일의 저녁 식사를 하는 평범한 교외 가족"

5. Chibi Drawing Style : 머리가 큰 귀여운 캐릭터와 밝고 경쾌한 분위기가 특징
   - 프롬프트: "Cute chibi characters playing in a colorful playground."
   - 번역: "알록달록한 놀이터에서 노는 귀여운 치비 캐릭터들"

6. Arcane League of Legends Animation Style : 섬세하고 다크 판타지 느낌의 캐릭터와 배경이 특징
   - 프롬프트: "A battle scene with magical powers in Arcane League of Legends animation style."
   - 번역: "아케인 리그 오브 레전드 스타일의 마법 전투 장면"

7. Style of Toon Boom Harmony : 전문 애니메이션 소프트웨어로 제작된 부드럽고 연속적인 움직임이 특징
   - 프롬프트: "A superhero flying over a cityscape in the style of Toon Boom Harmony."
   - 번역: "툰 붐 하모니 스타일의 도시 위를 나는 슈퍼히어로"

이 프롬프트들을 사용하면 다양한 애니메이션 스타일의 이미지를 만들 수 있어요.

오래된 멋진 지도

je veux une vielle carte de route dépliée

펼쳐진 오래된 로드맵을 원합니다.

주요 표현 안내
프랑스어입니다 ^^

영어로 바꾸면
I want an old unfolded road map
언어를 하나 바꿨을 뿐인데도
멋진 작품이 나오죠? ^^

데미무어와 히치하이킹을 꿈꾸며

a flat art illustration of a 55 year old demi moore driving a convertable 1968 Citroen DS on a winding french countryside road towards a 19th century haussemenian fairytale pink chateau in the distance. She is wearing a colorful orange, yellow green and hot pink printed vintage 1970's top, huge round sunglasses and her layered black hair and hermes scarf are blowing behind her as she drives

55세의 데미 무어가 1968년형 시트로엥 DS 컨버터블을 몰고 구불구불한 프랑스 시골길을 달려 저 멀리 있는 19세기 오세메니아 동화 속 핑크색 샤토를 향해 달리는 평면 아트 일러스트레이션 입니다. 그녀는 화려한 오렌지, 옐로우 그린, 핫 핑크 프린트의 1970년대 빈티지 탑과 커다란 원형 선글라스를 착용하고 있으며, 레이어드한 검은 머리와 헤르메스 스카프가 운전하는 동안 그녀의 뒤로 불어오는 바람을 맞고 있습니다.

주요 표현 안내

이번 이미지에서 포인트는 여자분의 정체가 영화배우 데미무어라는 것이었어요 ^^
그리고 평면 아트 일러스트레이션(a flat art illustration) 그리고 색상을 3개 지정했죠?
colorful orange, yellow green and hot pink printed 이렇게 화려한 오렌지, 옐로우 그린
그리고 핫핑크가 프린트 되었다. 마지막으로 입체감을 주기 위해서 뒤로 불러오는 바람이라고
되어 있습니다. blowing behind

참고 : 높은 해상도를 표현하기 좋은 유용한 프롬프트

1. Unreal Engine: 매우 사실적이고 섬세한 3D 그래픽
   - 프롬프트: "A futuristic cityscape rendered in Unreal Engine."
   - 번역: "언리얼 엔진으로 렌더링된 미래 도시 풍경"

2. Sharp Focus: 해상도 향상
   - 프롬프트: "A close-up photo of a butterfly in sharp focus."
   - 번역: "선명한 초점으로 찍은 나비의 클로즈업 사진"

3. 8K: 해상도 증가. 이미지가 좀 더 카메라로 찍은 듯 사실적이 됨
   - 프롬프트: "A stunning landscape in 8K resolution."
   - 번역: "8K 해상도로 찍은 멋진 풍경"

4. V-Ray: 물건이나, 풍경, 건물 등에 아주 좋은 3D 렌더링
   - 프롬프트: "A realistic interior design rendered with V-Ray."
   - 번역: "V-Ray로 렌더링된 현실적인 실내 디자인"

5. High Definition: 고해상도
   - 프롬프트: "A high definition photo of a mountain range."
   - 번역: "고해상도로 찍은 산맥 사진"

6. Ultra-Realistic: 매우 현실적인
   - 프롬프트: "An ultra-realistic 3D model of a car."
   - 번역: "매우 현실적인 3D 자동차 모델"

7. Photorealistic: 사진처럼 사실적인
   - 프롬프트: "A photorealistic rendering of a modern kitchen."
   - 번역: "사진처럼 사실적인 현대적인 주방 렌더링"

8. Cinematic Quality: 영화 같은 품질
   - 프롬프트: "A cinematic quality shot of a sunset over the ocean."
   - 번역: "영화 같은 품질의 바다 위의 일몰 사진"

9. Detailed Rendering: 정교한 렌더링
   - 프롬프트: "A detailed rendering of an ancient temple."
   - 번역: "고대 사원을 정교하게 렌더링한 이미지"

자유를 꿈꾸는 새우초밥

quality photo of California sushi set, shrimp rolls, sesame seed sprinkles are flying around, soy sauce is dripping, and there are Hashi sushi sticks lying around

캘리포니아 초밥 세트, 새우 롤, 참깨 뿌리가 날아다니고 간장이 떨어지고 하시 초밥 스틱이 놓여있는 고품질 사진

주요 표현 안내
이번 이미지에서 중요한 부분은 생동감 있는 표현인 sprinkles are flying around 입니다.
그런데 곰딴님이 알려주신 싱크로나이즈 기법(High-quality photos, synchronization techniques)과 브레이크 댄스와 스트릿 댄스에서 영감을 받은 춤, 단체 댄스(perpect shapes, dynamic, reminiscent of the Olympics, group gymnastics, Inspired by break dance and street dance, group dance, World Championship winner)표현도 괜찮네요..
다양한 기법을 알아가는 게 프롬프트 챌린지 25의 매력인 것 같습니다 ^^

000-19

그녀에게서 멋진 향기가!

Perfume bottle in a stage. In a empty pink room, A tornado of sakura flowers swriling around the perfume, realistic, protrait, glowing

무대 위의 향수병. 텅 빈 분홍색 방, 향수 주위를 휘감는 벚꽃의 회오리, 사실적이고 프로트레이트, 빛나고 있습니다.

주요 표현 안내
이번 이미지에서 주의 깊게 볼 부분은 향수 주위를 휘감는 벚꽃의 회오리입니다.
A tornado of sakura flowers swriling around the perfume 그리고 빛나고 있다는 glowing 단어입니다.

꽃의 화려함을 품은 향수

Exquisite Fragrance Displays, showcasing Viktor&Rolf Flowerbomb, highlighting its iconic grenade-shaped bottle and floral explosion, set against a backdrop of vibrant blossoms and lush greenery, with soft, diffused lighting to evoke a sense of joy and celebration, captured in professional style, conveying the essence of extravagance and indulgence, with

"빅토르&롤프 플라워밤의 상징적인 수류탄 모양의 보틀과 꽃의 폭발을 강조하는 정교한 향수 디스플레이는 활기찬 꽃과 무성한 녹지를 배경으로 부드럽고 확산된 조명으로 기쁨과 축하의 느낌을 불러일으키며 전문가적인 스타일로 촬영되어 화려함과 탐닉의 정수를 전달합니다." 라고 설명합니다.

주요 표현 안내

이번 이미지에서 보실 표현은 수류탄 모양의 보틀이란 점입니다. (iconic grenade-shaped bottle) 그리고 정교한 향기 디스플레이(Exquisite Fragrance Displays), 조명은 기쁨과 축하의 느낌을 불러일으키는 부드럽고 확산된 조명(diffused lighting to evoke a sense of joy and celebration) 그리고 전문가적인 스타일로 촬영(captured in professional style)입니다.

Pictura Fragrans 향수

Create a stunning image in Gerard's Richter style that visually encapsulates the essence of "Pictura Fragrans" LLC for our Our Vision page. Do not include any perfume bottle. Incorporate the transformative power of scent, the meticulous composition of fragrances as a blend of art and science, and the company's mission to take people on olfactory journeys. Emphasize the harmonious fusion of the artistic, scientific, and humanitarian influences, portraying Pictura Fragrans as more than a perfume company--a symphony of life's experiences, an ode to the artful science of scent, and a commitment to enhancing lives through the powerful language of fragrance.

당사의 비전 페이지에 "Pictura Fragrans" LLC의 본질을 시각적으로 요약하는 제라드 리히터 스타일의 멋진 이미지를 만들어 보세요. 향수병은 포함하지 마세요. 향기가 가진 변화의 힘, 예술 과 과학이 조화를 이룬 세심한 향수 구성, 사람들을 후각 여행으로 안내한다는 회사의 사명을 담 습니다. 예술적, 과학적, 인도주의적 영향의 조화로운 융합을 강조하여 픽투라 프라그란스를 단순 한 향수 회사가 아닌 인생 경험의 교향곡, 향기의 예술적 과학에 대한 찬사, 향기라는 강력한 언 어를 통해 삶을 향상시키기 위한 노력으로 묘사합니다.

주요 표현 안내

회사의 제품을 나타내는 프롬프트였어요. 응용하시기 좋으실 듯해서 공유해드렸습니다.

참고 제품디자인을 위한 스타일

1. 레트로 스타일(Retro Gadgets) : 옛날 느낌을 주는 디자인으로 깨끗하고 단순한 선, 기능성을 강조, 유명한 디자이너들의 스타일 반영
   1) Dieter Rams 스타일 : 깨끗하고 단순한 디자인, 기능성을 중요하게 생각
   예시) A retro gadget with clean and simple lines in the style of Dieter Rams(디터 람 스타일의 깨끗하고 단순한 레트로 가젯)
   2) Bauhaus 운동 : 대담한 기하학적 형태와 기능을 중시
   예시) A Bauhaus-inspired retro gadget with geometric shapes and focus on functionality (기하학적 형태와 기능을 강조한 바우하우스 스타일 레트로 가젯)
   3) Henry Dreyfuss 스타일 : 사용하기 편한 인체공학적 디자인
   예시) A retro gadget with ergonomic design in the style of Henry Dreyfuss(사용하기 편한 헨리 드레이퍼스 스타일의 레트로 가젯)
   4) Raymond Loewy 스타일 : 매끄러운 곡선과 현대적인 외관
   예시) A retro gadget with sleek curves and modern look in the style of Raymond Loewy(레이몬드 로위 스타일의 매끄럽고 현대적인 레트로 가젯)
2. 1950-60년대 깔끔하고 세련된 디자인(Mid-Century Modern Gadgets) : 심플하고 기능적
   예시) A sleek, mid-century modern gadget with clean lines and simple functionality (깔끔한 선과 단순한 기능성을 가진 미드 센추리 모던 가젯)
3. 옛날 전자 제품 스타일(Vintage Electronics) : 따뜻한 색감과 클래식한 디자인
   예시) A vintage electronic device with a warm color palette and classic design (따뜻한 색감과 클래식한 디자인의 빈티지 전자 기기)
4. 과거 사람들이 상상한 미래의 디자인(Retro Futurism Gadgets) : 독특하고 혁신적 디자인
   예시) A retro-futuristic gadget with bold shapes and innovative design (대담한 형태와 혁신적인 디자인의 레트로 퓨처리즘 가젯)

참고 콘셉트 디자인을 위한 스타일 I

1. 사이버펑크(Cyberpunk) : 미래 도시와 네온사인, 디스토피아적 분위기, 첨단 기술과 빈곤이 공존하는 설정
   예시) A neon-lit street in a futuristic cyberpunk city with towering skyscrapers and flying cars(높은 고층 빌딩과 날아다니는 자동차가 있는 미래의 사이버펑크 도시의 네온사인 거리)
2. 스팀펑크(Steampunk) : 빅토리아 시대의 기술과 공상 과학이 결합된 독특한 디자인, 기계 장치와 증기 기술이 특징
   예시) A steampunk airship flying over a Victorian-style city with gears and steam engines(기어와 증기 엔진이 있는 빅토리아 스타일 도시 위를 나는 스팀펑크 비행선)
3. 디젤펑크 (Dieselpunk) : 1920~1950년대의 디자인과 기술, 디젤 엔진과 산업화 시대의 분위기
   예시) A dieselpunk robot in an industrial setting with smoky factories and heavy machinery(연기가 나는 공장과 대형 기계가 있는 산업 환경의 디젤펑크 로봇)

향이 살아있는 향수

chanel santos una obra de argana eau azur, in the style of vray tracing, yellow and green, water drops, peter lippmann, high speed sync, orient-inspired, minolta riva mini

샤넬 산토스 우나 오브라 데 아르가나 오 아주르, 브이 트레이싱 스타일, 노란색과 녹색, 물방울, 피터 립만, 고속 동기화, 오리엔트 영감, 미놀타 리바 미니, 미놀타 리바 미니

주요 표현 안내

이번 이미지에서 주의깊게 보실 표현은 고속 동기화에요. 고속동기화란 물방울 등이 공중에 떠 있게 보이게 찍거나, 초반이 공중에 떠 있는 등의 촬영을 할 때 쓰는 기법인데 여기서는 high speed sync 라는 표현을 사용해서 물방울(water drops)가 튀기는 표현이 자연스러운 것입니다. 프롬프트에 나온 피터 립만은 사진작가이름입니다. 초상화 전문 사진작가로 현실적이고 자연스러운 이미지를 캡쳐하는데 능숙합니다. 그의 사진은 사물과 인물의 세부사항을 정확하게 담아내며 현실성과 감정을 고려한 작품을 만듭니다.

참고로 오리엔트 영감이란 동양적인 아이디어를 미놀타 리바 미니는 촬영한 카메라를 뜻합니다.

빛을 머금은 화장품

very close up realistic Lipstick and perfume, pastel rainbow, big shiny beautiful sparkle, pastel rainbow with iridescent glowing highlights, fantasy, shiny, opal, iridescent, glowing, shimmering, bright rococo style, scenic

매우 사실적인 립스틱과 향수, 파스텔 무지개, 큰 반짝이는 아름다운 반짝임, 무지개 빛깔의 빛나는 하이라이트, 판타지, 반짝이는, 오팔, 무지개 빛깔, 빛나는, 반짝이는, 밝은 로코코 스타일, 경치 좋은 파스텔 무지개

주요 표현 안내
이번 이미지에서 알아두시면 좋은 표현은 엄청 가깝게 화장품을 찍었잖아요.
그때 사용되는 것이 very close up 이에요. 그리고 크게 반짝이는 아름다운 반짝임은 big shiny beautiful sparkle입니다. 스타일은 밝은 로코코(bright rococo style)로 이 스타일은 고전적인 아름다움과 현대적 감각을 조화롭게 결합한 스타일이에요. 다른 말로는 late baroque라고도 합니다.

물을 머금은 화장품

A few photos of lipstick tubes and water, with a light pink and transparent texture style, anime aesthetics, interesting complexity, berry punk, gorgeous colors, 32k uhd, karol bak

밝은 분홍색과 투명한 질감 스타일, 애니메이션 미학, 흥미로운 복잡성, 베리 펑크, 화려한 색상, 32k UHD, 캐롤 박, 립스틱 튜브와 물의 몇 가지 사진

주요 표현 안내
이번 이미지에서 알아두시면 좋은 표현은 투명한 질감 스타일(transparent texture style) 그리고 애니메이션 미학(anime aesthetics), 화려한 색상(gorgeous colors)에요.
참고로 미드저니는 이상하게 예쁘다는 말(beautiful)을 잘 모르더라고요. 그래서 beautiful 보다는 gorgeous가 더 예쁘고 멋지게 나와요 ^^

바다를 품은 네일아트

nail art of whales,  ,dynamic whales nail design,ocean,beautiful,transparent,water

고래의 네일 아트,  ,역동적인 고래 네일 디자인, 바다, 아름다운, 투명한, 물

주요 표현 안내
이모지를 이용해서 다양한 이미지를 만들 수 있습니다. 코파일럿과 미드저니가 잘 만들어주더라고요. 윈도우에서는 다양한 이모지를 표현하기 위해서 윈도우키+.(마침표) 키를 누르시면 됩니다.

향을 품은 남성 화장품

A young Korean man, holding a small cylindrical bottle of men's facial cosmetics with his right hand, black bottle, commercial photography, black rock, volcanic rock

오른손으로 남성용 얼굴 화장품의 작은 원통형 병을 들고 있는 젊은 한국인 남성, 검은 병, 상업 사진, 검은 바위, 화산 바위

주요 표현 안내

사진을 잘 표현하기 위해 유명한 사진작가 스타일을 참고하는 것은 좋은 방법입니다. 사진작가는 사진을 촬영하고, 현상 및 인화를 통해 사진을 예술 작품으로 완성하는 사람입니다. 사진작가는 다양한 대상이나 목적에 따라 여러 종류로 나뉩니다. 예를 들어, 인상사진작가, 생태사진작가, 광고사진작가, 순수사진작가, 보조사진가 등이 있습니다. 아래에는 몇 명의 유명한 사진작가 스타일과 그 설명을 소개합니다.

다양한 사진작가 스타일

1. 인상사진작가 (Portrait Photographer) : 인물의 얼굴이나 전신을 촬영하여 인상을 담는 사진작가.
   예시) A classic portrait of a person with a soft, blurred background.
      (부드럽고 흐릿한 배경의 고전적인 인물 초상화)
2. 생태사진작가 (Wildlife Photographer) : 자연 환경에서 동식물을 촬영하는 사진작가.
   예시) A detailed close-up of a tiger in its natural habitat.
      (자연 서식지에서 찍은 호랑이의 자세한 클로즈업)
3. 광고사진작가 (Commercial Photographer) : 제품, 서비스, 브랜드를 홍보하기 위해 사진을 촬영하는 사진작가.
   예시) A sleek and modern product photo with clean lines and vibrant colors.
      (깔끔한 선과 생동감 있는 색상의 세련되고 현대적인 제품 사진)
4. 순수사진작가 (Fine Art Photographer) : 예술적 표현을 목적으로 사진을 촬영하는 사진작가.
   예시) An abstract and artistic photo with unique shapes and textures.
      (독특한 형태와 질감을 가진 추상적이고 예술적인 사진)
5. 보도사진가 (Photojournalist) : 뉴스와 사건을 기록하여 보도하는 사진작가.
   예시) A powerful photo capturing a moment of protest in the streets.
      (거리에서의 시위 순간을 포착한 강력한 사진)

패션과 예술적인 사진을 전문으로 하는 유명한 사진작가

1. 어빙 펜 (Irving Penn) : 패션과 초상 사진으로 유명한 사진작가로, 단순하고 깨끗한 배경을 사용하여 피사체의 본질을 강조. 그는 "Vogue" 잡지의 대표적인 사진작가로 활동하며 많은 유명 인물과 패션 아이템을 촬영함
예시) A high-contrast black and white portrait in the style of Irving Penn.
      (어빙 펜 스타일의 고대비 흑백 초상화)

2. 마리오 테스티노 (Mario Testino) : 패션과 유명인 사진으로 유명하며, 화려하고 생동감 있는 색감과 세련된 구도로 유명. 그는 "Vogue"와 "Vanity Fair" 같은 유명 잡지의 표지를 장식했으며, 많은 패션 캠페인에서도 활약함
예시) A vibrant and glamorous fashion photo in the style of Mario Testino.
      (마리오 테스티노 스타일의 화려하고 생동감 있는 패션 사진)

3. 스티븐 마이젤 (Steven Meisel) : 패션 잡지와 광고 캠페인으로 유명한 사진작가로, 독창적이고 실험적인 스타일을 자주 사용. 그는 "Vogue Italia"의 주요 사진작가로 활동하며, 마돈나의 앨범 커버 등 다양한 프로젝트를 진행.
예시) An avant-garde fashion editorial photo in the style of Steven Meisel.
      (스티븐 마이젤 스타일의 전위적인 패션 에디토리얼 사진)

4. 애니 리보비츠 (Annie Leibovitz) : 유명인 초상과 패션 사진으로 유명한 사진작가, 그녀는 "Rolling Stone"과 "Vanity Fair" 같은 잡지에서 활동하며, 독특한 시각적 스타일과 감성적인 사진으로 많은 주목을 받음
예시) A dramatic and emotional celebrity portrait in the style of Annie Leibovitz.
      (애니 리보비츠 스타일의 극적이고 감성적인 유명인 초상화)

5. 닉 나이트 (Nick Knight) : 패션 사진과 예술 사진을 전문으로 하는 사진작가로, 혁신적인 스타일과 실험적인 접근 방식으로 유명. 그는 "SHOWstudio"의 창립자로, 패션과 예술을 결합한 다양한 프로젝트를 진행하고 있음.
예시) An experimental and artistic fashion photo in the style of Nick Knight.
　　　(닉 나이트 스타일의 실험적이고 예술적인 패션 사진)

6. 헬무트 뉴튼 (Helmut Newton) : 강렬하고 도발적인 패션 사진으로 유명. 그의 작품은 성적인 긴장감과 미적 완성도를 동시에 지니고 있음
예시) A provocative and high-contrast fashion photo in the style of Helmut Newton.
　　　(헬무트 뉴튼 스타일의 도발적이고 고대비의 패션 사진)

7. 리처드 아베돈 (Richard Avedon) : 흑백 초상 사진과 패션 사진으로 유명. 그의 작품은 강렬한 인물 표현과 깔끔한 구도로 알려져 있음.
예시) A striking black and white portrait with a clean composition in the style of Richard Avedon. (리처드 아베돈 스타일의 깔끔한 구도의 강렬한 흑백 초상화)

8. 티모시 그린필드-샌더스 (Timothy Greenfield-Sanders) : 인물 사진과 다큐멘터리 스타일의 사진으로 유명. 그는 인물의 깊은 내면을 표현하는데 탁월함.
예시) A deep and introspective portrait in the style of Timothy Greenfield-Sanders.
　　　(티모시 그린필드-샌더스 스타일의 깊고 성찰적인 초상화)

9. 알버트 왓슨 (Albert Watson) : 흑백과 컬러 사진 모두에서 뛰어난 실력을 보이는 사진작가로, 독특한 시각적 스타일과 뛰어난 기술로 유명함.
예시) A highly detailed and visually striking photo in the style of Albert Watson.
　　　(알버트 왓슨 스타일의 매우 정교하고 시각적으로 강렬한 사진)

10. 파올로 로베르시 (Paolo Roversi) : 부드럽고 낭만적인 스타일의 패션 사진으로 유명. 그의 작품은 꿈같은 분위기와 부드러운 색감이 특징임.
예시) A dreamy and romantic fashion photo in the style of Paolo Roversi.
　　　(파올로 로베르시 스타일의 꿈같고 낭만적인 패션 사진)

11. 피터 린드버그 (Peter Lindbergh) : 흑백 초상과 다큐멘터리 스타일의 패션 사진으로 유명. 그의 작품은 자연스러운 아름다움과 감정을 강조함.
예시) A natural and emotional black and white fashion photo in the style of Peter Lindbergh.(피터 린드버그 스타일의 자연스럽고 감성적인 흑백 패션 사진)

12. 브루스 웨버 (Bruce Weber) : 클래식한 흑백 사진과 따뜻한 색감의 컬러 사진으로 유명. 그의 작품은 젊음과 자유로운 에너지를 표현함.
예시) A youthful and energetic black and white photo in the style of Bruce Weber
　　　(브루스 웨버 스타일의 젊고 활기찬 흑백 사진)

화장품 모음 사진

Flat lay photography of makeup kit in a beige background

베이지색 배경의 메이크업 키트 평면 사진 촬영

주요 표현 안내

이번 이미지에서 주요한 표현은 Flat lay photography of 만 쓰시면 쉽고 간단하게 작성이 가능합니다. Flat lay photography란 제품이나 물건을 위에서 내려다보는 시점으로 촬영하는 사진 기법으로 주로 패션, 음식, 문구류 등의 제품을 깔끔하고 정돈된 방식으로 놓고 촬영합니다.

종류로는 음식 플랫 레이(Food Flat Lay), 패션 플랫 레이(Fashion Flat Lay), 문구 플랫 레이(Stationery Flat Lay), 여행 플랫 레이(Travel Flat Lay), 뷰티 플랫 레이(Beauty Flat Lay), 건강 플랫 레이(Health Flay Lay), 홈 데코 플랫 레이(Home Decor Flay Lay), 기술 플랫 레이(Tech Flat Lay), 예술 플랫 레이(Art Flat Lay) 그리고 요리 플랫 레이(Cooking Flat Lay)가 있습니다.

사용법은 A glamorous flat lay of beauty products including lipsticks, brushes and skincare items (립스틱, 브러시, 스킨케어 제품이 포함된 화려한 뷰티 제품의 플랫 레이) 이런 식으로 사용하면 됩니다. 마지막으로 in a (색상) background 이렇게 적으시면 배경색도 간단하게 지정이 됩니다.

참고 콘셉트 디자인을 위한 스타일 II

1. 판타지 (Fantasy) : 마법과 신화, 환상의 세계를 배경으로 한 디자인, 중세 분위기와 판타지 생물.
예시) A majestic dragon flying over a medieval castle in a fantasy world.
　　(판타지 세계의 중세 성 위를 나는 장엄한 용)

2. 포스트 아포칼립스 (Post-Apocalyptic) : 문명이 멸망한 후의 세계를 배경으로 한 디자인, 황폐한 환경과 생존을 위한 기술.
예시) A lone survivor in a post-apocalyptic wasteland with ruined buildings and overgrown vegetation.(파괴된 건물과 무성한 식물이 자라는 포스트 아포칼립스 황무지의 유일한 생존자)

3. 생체공학 (Biopunk) : 유전자 조작과 생체 기술이 발달한 미래, 인간과 기계의 융합.
예시) A biopunk scientist working in a lab with genetically modified creatures and advanced biotechnology.
(유전자 조작된 생물과 첨단 생명공학 기술이 있는 실험실에서 일하는 생체공학 과학자)

4. 아트 데코 (Art Deco) : 1920~30년대의 화려하고 대담한 디자인, 기하학적 패턴과 장식적인 요소.
예시) A luxurious art deco building with bold geometric shapes and opulent interiors.
　　(대담한 기하학적 형태와 화려한 내부를 가진 호화로운 아트 데코 건물)

5. 미니멀리즘 (Minimalism) : 단순하고 깔끔한 디자인, 불필요한 요소를 배제하고 기본적인 형태와 색상만 사용
예시) A minimalist living room with clean lines, neutral colors, and simple furniture.
　　(깨끗한 선과 중립적인 색상, 단순한 가구가 있는 미니멀리스트 거실)

6. 노르딕 스타일 (Nordic Style) : 북유럽의 디자인, 밝고 환한 색상, 자연 소재와 심플한 형태.
예시) A Nordic style kitchen with light wood, white walls, and modern appliances.
　　(밝은 나무, 흰 벽, 현대적인 가전제품이 있는 노르딕 스타일 주방)

7. 레트로 퓨처리즘 (Retro-Futurism) : 과거 사람들이 상상한 미래의 모습, 빈티지한 느낌과 미래지향적인 디자인이 결합.
예시) A retro-futuristic car with sleek curves and chrome details, set in a 1960s vision of the future
(1960년대의 미래 비전 속에서 세련된 곡선과 크롬 디테일을 가진 레트로 퓨처리즘 자동차)

마음에 드는 꽃을 찾아서

A soft pink gradient background with delicate, flowing lines that form the shape of an abstract flower petal. The petals have subtle gradients and shimmer in various shades from light to dark pink. There is a large center where negative space creates visual depth. This design would be suitable for romantic or feminine themes, such as wedding, illustrated in the style of white background

부드러운 핑크 그라데이션 배경에 섬세하고 흐르는 듯한 선이 추상적인 꽃잎 모양을 형성합니다. 꽃잎은 미묘한 그라데이션이 있으며 밝은 분홍색에서 진한 분홍색까지 다양한 색조로 반짝입니다. 네거티브 스페이스가 시각적 깊이를 만들어내는 큰 중앙이 있습니다. 이 디자인은 결혼식과 같은 로맨틱하거나 여성스러운 테마에 적합하며 흰색 배경 스타일로 그려져 있습니다.

주요 표현 안내
이번 이미지에서 알아두시면 좋은 표현은 섬세하고 흐르는 듯한 선이 추상적인 꽃잎 모양입니다.
with delicate, flowing lines that form the shape of an abstract flower petal

우리가 한복을 이야기할 때 몸의 선을 따라 흐르는 듯한 재질이란 표현을 하잖아요. 그런 식으로 생각하면 좋으실듯해요.

그리고 네거티브 스페이스가 시각적 깊이를 만들어내는 큰 중앙이란 표현도 같이 알아두시면 좋으실 듯합니다.
There is a large center where negative space creates visual depth

참고 시각적인 표현기법

1. 섬세하게 흐르는 선 (Delicate Flowing Lines) : 이미지에 우아함과 유동성을 더함. 이러한 선은 주로 곡선이나 자연스러운 형태를 통해 표현됨.
예시) A delicate flowing line drawing of a dancer, capturing the grace and movement.
   (우아함과 움직임을 포착한 춤추는 사람의 섬세하게 흐르는 선 드로잉)

2. 네거티브 스페이스 (Negative Space) : 피사체 주변의 빈 공간을 말하며, 이미지에 균형과 집중을 부여함. 이 기법은 주제의 형태를 더 명확하게 강조하고 깔끔한 느낌을 줌.
예시) A minimalist design using negative space to outline the silhouette of a tree
   (나무의 실루엣을 윤곽 짓기 위해 네거티브 스페이스를 활용한 미니멀리스트 디자인)

3. 시각적 깊이 (Visual Depth) : 이미지에 입체감을 더하여 현실감을 줌. 원근법, 명암 대비, 겹침 등의 기법을 사용하여 이미지에 깊이를 더함
예시) A landscape painting with visual depth, using layers of mountains and atmospheric perspective(산의 층과 대기 원근법을 사용하여 시각적 깊이를 더한 풍경화)

4. 부드러운 음영 (Soft Shading) : 이미지에 부드러운 명암 변화를 주어 입체감을 표현. 주로 연필, 목탄, 디지털 브러시 등으로 구현함
예시) A portrait with soft shading, highlighting the contours of the face
   (얼굴의 윤곽을 강조하는 부드러운 음영 처리의 초상화)

5. 대조적인 색상 (Contrasting Colors) : 이미지에서 강한 시각적 충격을 주어 주제를 돋보이게 함. 주로 보색 관계의 색상이나 강한 색상 대비를 사용함.
예시) An abstract painting with contrasting colors to create visual impact
   (시각적 충격을 주기 위해 대조적인 색상을 사용한 추상화)

6. 텍스처 표현 (Texture Representation) : 이미지에 실제 촉감을 연상시키는 효과를 줌. 다양한 재료의 질감을 디테일하게 표현하여 현실감을 높임.
예시) A close-up photograph of tree bark, emphasizing the rough texture
   (거친 질감을 강조한 나무 껍질의 클로즈업 사진)

7. 색채 조화 (Color Harmony) : 조화로운 색상 배합을 통해 이미지의 전체적인 균형과 미적 감각을 높임. 주로 색상환을 기반으로 색상 조합을 사용함.
예시) A harmonious color palette in a nature-inspired illustration
   (자연에서 영감을 받은 일러스트에 조화로운 색상 팔레트)

8. 반복 패턴 (Repetitive Patterns) : 일정한 형태나 색상이 반복되어 이미지에 리듬감과 통일성을 부여
예시) A graphic design with repetitive geometric patterns for a cohesive look
   (통일된 느낌을 주기 위한 반복적인 기하학적 패턴의 그래픽 디자인)

물을 품은 꽃

the painting is in white, in the style of light orange and turquoise, art nouveau floral motifs, minimalist still life, monumental ink paintings, yellow and orange, illustration, light turquoise and light crimson

그림은 흰색, 밝은 주황색과 청록색, 아르누보 꽃 모티브, 미니멀 한 정물, 기념비적인 수묵화, 노란색과 주황색, 일러스트레이션, 밝은 청록색 및 밝은 진홍색 스타일로 되어 있습니다.

주요 표현 안내
프롬프트에서 주의 깊게 보셔야 할 표현은 대부분 스타일을 이야기하면 수묵화, 풍경화 이런 식으로 표현했지만 색상, 작가 모티브, 작품 스타일 이렇게 만드실 수 있다는 것입니다.
그리고 좀 더 강조해야 하는 경우는 색상을 2번 적어주시면 보다 더 잘 표현해줍니다.
참고로 아르누보란 프랑스 어로 새로운 미술이란 뜻으로 19세기 말과 20세기 초에 유럽 전역에서 번창했으며 자연에서 영감을 받아 흐르는 유기적인 형태의 사용으로 특히 덩굴풀이나 담쟁이, 나뭇잎, 꽃 등의 자연적인 요소에서 영감을 받아서 곡선, 꽃무늬, 유기적인 형태, 자연스러운 재료를 사용해서 장식적인 요소, 비대칭적인 구성, 새로운 기술과 재료의 사용 등이 특징입니다.

또 다른 여행을 위한 여정

drawing + watercolor illustration of YOUNG Girl with pigtails facing a tall old brick wall overgrown with PRETTY flowers and plants and butterfliesand a little robin WITH An open SMALL ARCHED DOOR entering secret garden on other side through a small ARCHED wooden door the same height as her in the style of whimsical chilaren´s book illustrator, dark beige and orange, warm tones, free brushwork, captivating portraits, animated gifs, folkloric portraits

예쁜 꽃과 식물과 나비로 자란 키가 큰 오래된 벽돌 벽을 향한 땋은 머리를 가진 어린 소녀의 그림 + 수채화 일러스트와 기발한 어린이 책 일러스트 레이터 스타일, 어두운 베이지와 오렌지, 따뜻한 톤, 자유로운 브러시 워크, 매혹적인 초상화, 애니메이션 GIF, 민속 초상화, 작은 로빈이 그녀와 같은 높이의 작은 아치형 나무 문을 통해 다른 쪽의 비밀 정원으로 들어가는 열린 작은 아치형 문이 있습니다.

주요 표현 안내

이번 이미지에서 주목할 부분은 그림과 수채화 기법을 함께 사용하기 위해 "drawing + watercolor illustration"이라고 표현한 점이에요. 또, '기발한 어린이 책 일러스트 스타일'이라고 다시 한번 강조했죠. (in the style of whimsical children's book illustrator) 그 다음에는 색상을 입히는 겁니다. 마지막으로 "민속 초상화(folkloric portraits)"와 "애니메이션 GIF(animated gifs)"를 추가하면 총 5가지 스타일이 적용된 그림이 탄생합니다!

구도를 볼 때 "벽돌 벽을 향했다(facing)"라고 하면 자연스럽게 뒤돌아선 모습이 연출되죠. 중요한 부분은 대문자로 강조하면 표현이 더욱 잘 살아납니다.

참고 이미지에 다양한 감정과 분위기를 나타내는 방향 프롬프트

1. 자연스럽게 뒤를 돈 모습 (Facing Away) : 신비롭고 호기심을 자극하는 분위기를 줄 수 있음. 이 방향은 주로 피사체가 무언가를 떠나거나 다른 곳을 바라보는 장면에 사용됨

예시) A woman in a flowing dress, naturally facing away, with her hair gently blowing in the wind(머리카락이 바람에 부드럽게 날리는, 자연스럽게 뒤를 돌아보는 긴 드레스를 입은 여성)

예시) A child looking over their shoulder at a beautiful sunset, creating a sense of wonder
(아름다운 일몰을 바라보며 어깨 너머로 뒤를 돌아보는 아이, 경이로움을 자아내는 장면)

2. 앞을 본 모습 (Facing Forward) : 직접적인 시선을 통해 강한 인상을 나타냄. 주로 인물 사진이나 초상화에 사용됨.

예시) A confident man in a suit, standing tall and facing forward with a determined expression(결연한 표정으로 앞을 바라보며 당당하게 서 있는 정장 차림의 자신감 있는 남성)

예시) A smiling woman facing forward, surrounded by blooming flowers, capturing a moment of pure joy(활짝 핀 꽃들에 둘러싸여 앞을 바라보며 미소 짓는 여성, 순수한 기쁨의 순간을 포착한 장면)

3. 옆을 본 모습 (Facing Sideways) : 조용하고 사색적인 느낌을 줌. 이 방향은 주로 인물의 프로필을 강조할 때 사용됨

예시) A serene profile of a woman facing sideways, with soft light highlighting her features
(부드러운 빛이 그녀의 특징을 강조하는, 옆을 바라보는 평온한 여성의 프로필)

예시) A man sitting by the window, facing sideways, lost in thought as the sunlight streams in(햇빛이 들어오는 창가에 앉아 옆을 바라보며 생각에 잠긴 남성)

4. 머리 위를 본 모습 (Looking Up) : 희망적이거나 기대감을 줄 때 사용

예시) A child looking up at the night sky filled with stars, with a look of awe on their face
(별이 가득한 밤하늘을 올려다보며 경이로운 표정을 짓는 아이)

예시) A young woman looking up at tall buildings, capturing the sense of wonder in a big city(큰 도시에서의 경이로움을 포착하며 높은 빌딩을 올려다보는 젊은 여성)

5. 아래를 본 모습 (Looking Down) : 내성적이거나 사색적인 느낌을 줄 때 사용

예시) A man looking down at his reflection in a pond, lost in contemplation
(연못에 비친 자신의 모습을 내려다보며 사색에 잠긴 남성)

예시) A woman looking down at a book in her hands, deeply engrossed in reading
(손에 든 책을 내려다보며 깊이 몰입한 여성을 포착한 장면)

가상 여행 전문가 Dolppu

An A.I. help desk employee named Dolppu. friendly face, quirky rectangle name batch. she is a VTO (Virtual Tourist Officer). In style of Pixar, (with the text: "Dolppu VTO")

돌푸라는 이름의 인공지능 헬프데스크 직원. 친근한 얼굴, 기발한 직사각형 이름 배치. 그녀는 VTO(가상 관광 안내원)입니다. 픽사 스타일로, (텍스트: "돌푸 VTO")

주요 표현 안내
이번 이미지에서 알아두시면 좋으실 표현은 제가 임의로 VTO 라는 직책을 만들었고요.
VTO가 어떤 역할인지도 안내를 해 두었습니다. 그리고 이름이 직사각형 배치에 있다고
quirky rectangle name batch 이렇게 적어두었고요.
텍스트를 표현한 것은 (with the text : "Dolppu VTO") 입니다.
중요한 부분은 ( )로 그리고 텍스트를 표현할 때는 " " 안에 넣으시면 더 잘 만들어줍니다.

000 Information

Contact Artist

Email.   yeeun742@gmail.com

SNS.   https://www.instagram.com   /novaedu.artist/

          https://x.com/metatrip_edu

Channel.   https://www.youtube.com/   @metaedu77

          https://blog.naver.com/elley2/

Artist Comment

쉽고 재미있는 AI 아트, 모두의 도전!

안녕하세요, 노바에듀입니다. 이번 프롬프트 챌린지의 주제는 "여행"이었는데요, 30일 간의 여행을 잘 즐기셨나요? AI 아트가 어렵다고 생각하시는 분들께 쉽고 재미있다는 것을 알려드리고자 기획한 챌린지였습니다. 여러분의 작품을 보며 많은 것을 배울 수 있었고, 이렇게 챌린지가 성공하게 될 수 있는 큰 원인은 보이지 않는 곳에서 항상 응원해주신 커뮤니티 매니저 루돌뿌님 덕분이었습니다.

마지막으로, 가상여행전문가 Dolppu님과 함께하는 또 다른 여행이 기대됩니다. 모두의 열정 덕분에 이번 챌린지가 성공적으로 마무리되었고, 이를 기반으로 책도 출간할 수 있게 되었습니다. 진심으로 감사드립니다.

AI 아트가 쉽고 재미있다는 것을 느끼셨기를 바라며, 앞으로도 많은 도전과 즐거움을 기대합니다. 감사합니다.

000 ExtraPage

[이력]

현) 한국AI작가협회 이사장
현) 한국빅데이터교육협회 교육이사
현) WCC 1기(뤼튼공인컨설턴트)
전) 고려아카데미컨설팅 기업체 강의평가전문위원
전) 서울시교육연수원 전문강사(IT분야)

[저서]

제페토빌드잇 사용방법
메타버스 200% 활용방법
나만의 정원 메타버스
챗GPT 업무에 쉽게 활용하기(건축감리실전편/인테리어건축)
로봇터틀과 함께하는 미래여행(기초편/심화편)

[전시이력]

2022 선물 NFT 콜렉션 그룹전, 프랑스 툴루즈/스페이셜
2023 이시카와 NFT 한일 그룹전, 이시카와 하모니 갤러리
2023 한/중/일 AI 르네상스 그룹전, 아트불 갤러리 청담
2023 귀여운 큰 나들이 전시 Season2, 성남 메종 브레첼
2023 UCL Winter Collection NFT 그룹전 / 매봉 CAFE HYPE
2023 PCW NFT Exhibition in TOKUSIMA 그룹전, 일본 도쿠시마
2023 가장 전통적인 공간과 메타버스의 만남 그룹전, 북촌한옥마을
2023 정부혁신박람회 그룹전, 부산 벡스코 제2전시장
2023 Pararell Universe展 1st 그룹전, YMCA 다오아트스페이스
2024 Pararell Universe展 2st 그룹전, 인도 우미라 아트 갤러리
2024 그림책 마음을 잇다, 인사동 하나아트갤러리

KAAAPromptChallenge 25 #001

곰딴(GOMDAN)_김동현

001 Overalls

Prompt Artwork Collection

001 곰딴(GOMDAN)_김동현

Artwork Prompt

[3d render, isometric, mockup, diorama, toy, cute, product artwork], orderly arrangement, child's plastic toy, Educational equipment for children's play, food tray for children, [kindergarten background(Toy kitchen utensils, toy ovens, toy kitchen)], Aerial view of Oven-browned feta on slices of aubergine, diced courgette, small pieces of pepper and onion rings. Balanced contrast and saturation, daylight, high key, bright, natural colour gradation, super detailed. Taken in a well-lit studio, depth of field.

[3D 렌더, 아이소메트릭, 목업, 디오라마, 장난감, 귀여운, 제품 아트웍], 질서정연한 정리, 어린이용 플라스틱 장난감, 어린이 놀이를 위한 교육 장비, 어린이용 식판, [유치원 배경(장난감 주방기구, 장난감 오븐, 장난감 주방)], 오베르진 조각, 다진 쿠르테, 후추와 양파 링 조각에 오븐에 구운 태아의 항공 사진. 균형 잡힌 대비와 채도, 일광, 높은 키, 밝은, 자연색 그라데이션, 매우 상세합니다. 조명이 잘 켜진 스튜디오에서 촬영, 심도,

001 Information

Contact Artist

Email.   rehaessal@naver.com

SNS.   www.instagram.com/wertkim

            www.x.com/gomdanjp   @gomdanjp

Channel.   www.youtube.com/@gdkr   @gdkr

Artist Comment

안녕하세요! 곰딴(Gomdan)입니다

안녕하세요 곰딴입니다. 이번에 프롬프트 챌린지 1기에 참여 하면서 즐거웠고 너무 영광이었습니다. 저마다 같은 프롬프트를 다르게 보는 다양성과, 그림을 보고 저마다의 프롬프트를 생성해 내는 창의력에 박수를 보냅니다. 앞으로도 더 멋지게 뻗어 나가서 2기, 3기, 10,000기 까지 이어지면 좋겠습니다. 감사합니다.

니온(Nion)_서유미

002 Overalls

Prompt Artwork Collection

002 니온(Nion)_서유미

Artwork Prompt

The paintings are in the styles of white, bright orange and turquoise, art nouveau vibrant cheloniya, the baby bird flying alone and becoming independent, flapping to fly away under the light of the full moon, A mother bird cheering next to him motifs, minimalist, monumental ink painting, yellow and orange, illustration, bright turquoise and bright crimson.

그림들은 흰색, 밝은 오렌지색과 청록색, 아르누보 활기찬 첼로니야, 혼자 날아서 독립하는 아기 새, 보름달 빛 아래로 날아가기 위해 펄럭이는, 그 옆에서 응원하는 엄마 새, 미니멀리즘, 기념비적인 수묵화, 노란색과 오렌지색, 일러스트레이션, 밝은 청록색과 밝은 진홍색의 스타일입니다.

002 Information

Contact Artist

Email.   glowroad@naver.com

Artist Comment

작가소개

저는 Nion이라는 아들이 있어요. 그림을 업으로 삼고 싶어 하는 아들이 디지털 그림에 입문하고 한국AI작가협회를 가입하면서 어린 아들 대신에 제가 톡방에 들어가게 되었습니다.

운명이었을까요? 지금은 제가 작가의 길에 들어서게 되었네요. 오히려 아들에게 가르쳐 주며 행복해하고 있습니다. 아들은 사춘기, 저는 갱년기.. 힘든 시간에 만나게 된 프롬 챌린지 25...

덕분에 감정을 예술로 풀어내는 힐링을 경험하면서 우리 아기 새를 둥지에서 떠나보낼 힘을 얻게 된 것 같습니다. 이제 엄마 새는 새로운 '나'를 찾아 떠나는 여행을 시작할 듯합니다. 프롬 챌린지와 함께 말이지요.

함께 떠나보실래요?

소감

아주 어릴 적 엄마에게 미술학원 보내달라고 졸라댄 적이 있었는데..

한을 풀 듯 실컷 그림 그리며 넘 행복했습니다.

언어로 '프터치'를 할 때마다 형형색색 아름다운 그림들이 나올 때마다 마치 뽑기 결과를 기다리는 어린아이처럼 두근두근 행복한 설렘이었습니다. 상상력, 창의력 제로인 체 살아온 굳어버린 영혼 없는 몸뚱이가 노바에듀님, 돌뿌님, 함께한 작가님 덕분에 조금씩 살아나고 어느덧 즐기게 됨에 감사합니다.

새벽을 찢으며 달려온 탓에 몸은 지치지만 챌린지가 끝나니 다시 영혼이 시들해지네요... 언능 2기 열어주세요.^^

니카래인(NikkaLain)_최유경

003 Overalls

Prompt Artwork Collection

003 니카래인(NikkaLain)_최유경

Artwork Prompt

A flat lay photograph of various pastel-colored wildflowers arranged in an aesthetically pleasing composition, set against a soft purple background. The flowers include pink and yellow blossoms, delicate green leaves, and intricate stems. This artistic arrangement evokes the beauty found within nature's palette. High-resolution photography with soft lighting to highlight each flower's texture and color in the style of soft lighting.(Midjourney)

부드러운 보라색 배경에 다양한 파스텔 색상의 야생화를 미학적으로 아름다운 구도로 배치한 평면 사진입니다. 꽃에는 분홍색과 노란색 꽃, 섬세한 녹색 잎, 복잡한 줄기가 포함되어 있습니다. 이 예술적인 배열은 자연의 팔레트에서 발견되는 아름다움을 불러일으킵니다. 부드러운 조명으로 고해상도 사진을 촬영하여 각 꽃의 질감과 색상을 강조하는 부드러운 조명 스타일로 촬영합니다. (미드저니)

003 Information

Contact Artist

Email.   nikka70@naver.com
SNS.   https://instagram.com/nikkalain
           https://twitter.com/nikkalain
Channel.   https://youtube.com/@nikkalain
Littly.   https://litt.ly/nikkalain

Artist Comment

니카래인(NikkaLain)

AI프롬프트를 붓으로 이용하여 이미지를 그리고, 이야기를 만들어 내는 AI작가입니다. 꿈꾸는 식물(Dreaming Flora)시리즈와 식물과 꽃, 자연에서 에너지를 얻는 마법의 가상세계 보라랜드(Voraland)를 그리고 있습니다.

이번 KAAAPromptChallenge 25 1기는 다른 작가님들과 함께 매일 새로운 프롬프트를 탐구할 수 있어서 정말 뜻깊었던 시간이였습니다.
프롬프트를 배우고 익혀 활용하는 것 외에도 동료 작가님들의 꾸준함과 열정을 배울 수 있어 좋았습니다. 감사합니다.

뚜버기(ttubugi)_나인선

004 Overalls

Prompt Artwork Collection

004 뚜버기(Ttubugi)_나인선

Artwork Prompt

Illustration of a single mystical flower from a traditional tale, precious in its mysterious stillness, ultra close-up shot,

신비로운 고요함이 깃든 전통 설화에 등장하는 신비로운 꽃 한 송이의 일러스트, 초근접 샷

004 Information

Contact Artist

Email.   myladyu@naver.com
SNS.   https://instagram.com/ttubugi_ai_artist
Channel.   https://youtube.com/@user-kk2xq6ds2u

Artist Comment

목표를 향해 묵묵히 뚜벅뚜벅 걸어가는 뚜버기 작가입니다.

빠르게 변화하는 세상, 월등하지는 못해도 뒤처지고 싶지는 않아 부지런
히 배우지만 현생과 괴리된 AI 세상은 쉽게 내 몸에 학습시키기가 쉽지
않더라고요. 그런데, 매일 길을 헤매지 않도록 이끌어주는 한국AI작가협
회의 프롬프트 챌린지가 있어서 하루 한 번이라도 그림을 그려봅니다.

낯선 길 혼자 걸어가려니 버거웠지만 함께여서 든든한
프롬25 챌린지 감사합니다.

리키(RiKi)_전명철

005 Overalls

Prompt Artwork Collection

005 리키(RiKi)_전명철

Artwork Prompt

https://s.mj.run/uqsKwXCwUB4 Create a portrait of a modern Korean female model in the style of Shin Yun-bok's 'Miindo' (Portrait of a Beauty). The model should have traditional Korean beauty attributes with a modern twist, such as long hair styled elegantly, wearing a fusion of traditional hanbok and contemporary fashion. The background should be simple, highlighting the model with soft, natural colors typical of Shin Yun-bok's work. Capture the delicate, detailed brushwork and serene atmosphere characteristic of Shin Yun-bok's paintings

https://s.mj.run/uqsKwXCwUB4 신윤복의 '미인도' 스타일로 현대 한국 여성 모델의 초상화를 제작. 모델은 단아하게 스타일링한 긴 머리, 전통 한복과 현대 패션이 융합된 의상 등 현대적인 감각이 가미된 한국 전통 미의 특징을 가져야 한다. 배경은 신윤복 작품의 특징인 부드럽고 자연스러운 색감으로 모델을 강조하는 심플한 배경이어야 한다. 신윤복 그림의 특징인 섬세하고 세밀한 붓 터치와 고요한 분위기를 포착하여야 한다.

005 Information

Contact Artist

    Email.   rikispace2026@gmail.com

    SNS.   instagram.com/rikispace2026

Artist Comment

리키(RiKi)

안녕하세요. AI 크리에이터 리키입니다.
처음 AI로 이미지가 만들어지는게 신기해서 이것저것 신기하게 아무것도 모르고 막 해봤던 기억이 나네요. 이렇게 챌린지를 통해 멋진 이미지도 만들고 다른 사람들의 결과물을 보면서 또 다른 창작의 에너지원이 될 수 있었습니다!
모든 작가님들의 에너지 가득한 창작활동을 기대하며 함께 멀리 갈 수 있기를 바랍니다!

링키(Rinkey)_이주현

006 Overalls

Prompt Artwork Collection

006 링키(Rinkey)_이주현

Artwork Prompt

A top view of design merchandise in the Oriental Art Deco style with solid colors and simple shapes on a white background. Designed goods are fancy products that consist of pens, calendars, stamps, and badges, and come in a variety of materials, shapes, and colors, including fabric, paper, and metal.

흰색 바탕에 단색과 단순한 도형이 돋보이는오리엔탈 아르데코 스타일의 디자인 상품 평면 사진. 디자인 상품은 펜과 달력, 스탬프, 배지로 구성되어 있고 패브릭, 종이, 금속 등 다양한 소재, 모양, 색상으로 구성된 팬시 제품입니다. (미드저니)

006 Information

Contact Artist

Email.   rinkey@naver.com
Instagram   https://www.instagram.com/bdu_design/
Youtube   https://www.youtube.com/@BDU_design

Artist Comment

이주현(Juhyun LEE)

생성형AI는 디자인전공자인 저에게 굉장히 위협적인 존재였습니다. 하지만 '프롬25 챌린지'를 진행하면서 생성형AI는 디자인 표현에 도움이 될 수 있다는 확신을 가졌습니다. 이번 챌린지를 통해 구체적인 이미지를 그리기 위해서는 오히려 디자인 기초 지식과 요소의 이해가 필요하다는 것을 알게 된 값진 경험이었습니다.

챌린지 기간동안 새로운 프롬프트를 알려주시고 격려해주신 운영진과 함께 챌린지를 진행하며 긍정 자극을 주신 작가님들에게 감사를 표합니다.
프롬프트로 이미지 상상의 날개를 펼쳐보겠습니다.

마린(Marine)_정영순

007 Overalls

Prompt Artwork Collection

007 마린(Marine)_정영순

Artwork Prompt

"A mesmerizing illustration of a young woman with flowing hair, adorned with large, vibrant flowers in shades of red, pink, and orange. The woman's face is serene, and the overall composition features fluid, abstract shapes and lines. The style is a mix of modern and bohemian, with bold colors and a dreamy, artistic quality. The lines are smooth and the colors are vibrant, creating a visually captivating and ethereal atmosphere." --v 5.2

"큰 붉은색, 분홍색, 주황색 꽃으로 장식된 긴 머리를 가진 젊은 여성을 매혹적으로 그린 일러스트. 여자의 얼굴은 평온하며, 전체적인 구성은 유동적이고 추상적인 형태와 선으로 이루어져 있다. 스타일은 현대적이면서도 보헤미안적 요소가 결합된 형태로, 대담한 색상과 꿈같고 예술적인 느낌이 특징이다. 선은 부드럽고 색상은 생생하여 시각적으로 매력적이고 천상의 분위기를 자아낸다."

007 Information

Contact Artist

Email.   jysbr001@naver.com

SNS.   https://instagram.com/marine_hsp

Channel.   https://youtube.com/@Golden_Gardens_100

Exhibit A   Insa-dong Hanaart Gallery   그림책, 마음을 잇다.

BOOK.   https://product.kyobobook.co.kr/detail/S000213076861

Artist Comment

안녕하세요 희망이 마린작가입니다.

이번에 한국AI작가협회 프롬프트 챌린지 1기에 참여하면서 이미지 묘사와 프롬프트 변형의 재미를 발견했습니다.

매일 다른 주제와 스타일로 이미지를 그려내는 과정은 창의력을 자극하고 상상력을 키워주었어요. 특히 미드저니 프롬프트를 활용하면서 내가 상상한 장면이 실제 이미지로 구현되는 것을 보며 큰 만족감을 느꼈습니다. 이번 챌린지를 통해 많은 것을 배우고, 다른 사람들과 그 경험을 공유하며 공감대를 형성할 수 있어 정말 즐거웠습니다.

감사합니다.

메타신꿈(Meta_singgum)_강옥자

008 Overalls

Prompt Artwork Collection

008 메타신꿈(Meta_singgum)_강옥자

Artwork Prompt

An idyllic airplane made of Lego blocks, pixel style, everything is made of Lego blocks, there is a small house, a rainbow, a teddy bear, a shuk beta, Transformers, Doraemon, Mickey, there are planets, there is a Milky Way, there are stars, there is a spaceship made of Lego blocks, Mickey cheering in pixel style. Highly recommended

레고 블록으로 만든 목가적인 비행기, 픽셀 스타일, 모든 것이 레고 블록으로 만들어졌으며 작은 집, 무지개, 테디 베어, 슈크 베타, 트랜스포머, 도라에몽, 미키, 행성이 있고 은하수가 있고 별이 있고 레고 블록으로 만든 우주선, 픽셀 스타일에서 응원하는 미키가 있습니다. 고퀄러티

008 Information

Contact Artist

Email.   metasinggum@gmail.com
SNS.   https://instagram.com/meta_singgum
Blog.   https://blog.naver.com/koj7729
Cafe.   https://cafe.daum.net/sbc-school
Channel. https://tiktok.com/@metasinggum
Exhibit A 2022. 12. 17~18 XR 미디어 전시회 스타윙스 갤러리 XR, 서울
          2023. 04. 09   일본 이시카와 현 NFT 전시, 일본 이시카와현 하모니 갤러리
          2023. 04. 30   UCL Spring COLLECTION Online NFT Exhibition
                         MEENDARTPROJECT × 한국AI작가협회
          2023. 05. 11~18 Space cat8888 행운의 냥발 NFT 전시, 대전
          2023. 12. 09~31 UCL Winter COLLECTION NFT Exhibition, 서울
          2023. 12. 27   "신중년을 위한 세상에서 가장 쉬운 AI 가이드"_공저
          2024. 05. 28   "모두를 위한 스마트폰 길잡이 1부 · 2부"_등불프로젝트_공저

Artist Comment

안녕하세요? AI아트 작가 메타신꿈(Meta_singgum)/강옥자 입니다.

"여행!" 설레임, 모험, 경이로움의 대명사 여행이라는 주제로 한국AI작가협회에서 기획한 프롬프트를 연구하는 프롬 챌린지 1기에 참여하였습니다. 1개월 동안 매일 다른 소재로 그려보는 AI창작 활동의 인고의 시간, AI그림으로 창작의 기쁨과 창의력 상상력이 업 되어 성취감으로 기분 좋은 나날이 였습니다. 작품을 살펴보면 상상의 세계와 현실의 아름다움을 함께 표현하는 시간으로, 손자를 위한 레고 선물은 행복한 미소를 상상하며, 향수는 동료 작가님들과의 추억을 소중히 간직할 수 있게 해줄 향기로움, 맛있는 새우 요리는 입맛을 사로잡았고, 귀족이 되어 네일을 받은 특별한 경험은 힐링을 선물 받은 시간이였습니다.
이번 여행으로 프롬프트와 친숙한 작가로서 또 한걸음 성장하는 쾌거입니다. 앞으로도 좋은 여행을 함께하며 성장하는 시간을 기대합니다. 이 모든 것을 함께 나눌 수 있도록 기획해 주신 한국AI작가협회 이사장님과 동료 작가님들께 깊은 감사를 표합니다. 감사합니다,

메티스(Metis)_김유경

009 Overalls

Prompt Artwork Collection

009 메티스(Metis)_김유경

Artwork Prompt

A perfume bottle on stage. An empty purple room, a whirlwind of lilacs around the perfume, realistic, protruding, glowing.

무대 위의 향수병. 텅 빈 보라색 방, 향수 주위의 라일락 회오리바람, 사실적이고 튀어나와 빛을 담고 있다. 무대 위의 향수병이 라일락 꽃향기의 빛나는 회오리바람에 둘러싸인 빈 보라색 방에 있는 이미지.

009 Information

Contact Artist

Email.   nlp4u@naver.com

SNS.   https://instagram.com/aicoach_metacoach_metis

Artist Comment

안녕하세요.
AI 활용 전문성을 키워주는 AI 활용 코치이자 AI 아티스트로 활동하고 있는 Metis입니다.

제 작품은 신비로움과 치유의 의미가 담긴 보라색을 중심으로 그려집니다. 보라색은 저에게 창의성과 영감을 주는 색상일 뿐만 아니라, 힐링과 평온함을 선사합니다. 이러한 보라색을 활용하여 AI 아트를 생성하는 과정은 저에게 큰 즐거움과 만족을 줍니다.

이번에 프롬프트 챌린지 1기에 참여하면서 프롬프트의 변화와 중요성을 깊이 있게 알게 되는 계기가 되었습니다. 프롬프트의 변형으로 달라지는 그림들을 보며 새로운 아이디어와 영감을 얻는 계기가 되는 소중한 시간이었습니다.

좋은 기회를 주신 이사장님과 함께 챌린지에 참여한 모든 작가님들의 열정에 박수를 보내드리며 감사드립니다.

모란(Molan)_현혜숙

010 Overalls

Prompt Artwork Collection

010 모란(Molan)_현혜숙

Artwork Prompt

A silhouette of a woman in a soft watercolor style, posing as she writes with a blurred, colorful ink pen that intertwines Paintmudgeon with watercolor. There should be subtle color changes using impast techniques in Gwash paint. It should be lightly expressed in watercolors with a small texture of watercolour paper and a soft pastel gray background. There are also many colored perennial plants in the background.

부드러운 수채화 스타일의 여성 실루엣. 여성은 페인토스 매치와 수채화가 함께 얽혀있는 흐릿한 컬러풀한 잉크 펜을 들고 수필하고 있는 포즈를 취하고 있습니다. 그와시 페인트에서 임파스트 기법을 사용하여 미묘한 색상의 변화가 있을 것입니다. 수채화지의 작은 질감과 부드러운 파스텔 그레이 배경을 가진 수채화에 가볍게 표현해야 합니다. 또한 배경에 색채가 많은 다년생 식물이 있습니다.

010 Information

Contact Artist

Email.   sinnorja@hanmail.net
Blog.   https://blog.naver.com/inganchangzo

Artist Comment

안녕하세요. 쑥스럽지만 참으로 반갑습니다.

이 자리에 있기까지 참으로 세상이 많이 변했음을 실감합니다. AI를 만난지 얼마되지도 않았는데 책 속에 제가 있구요. 많은 기회들이 열려있음에 이젠 뭐든 자연처럼 받아들이는 자세가 필요하다는 생각도 해봅니다.
지금 하늘을 보면 가슴이 두근거리는데요. 저는 이 순간을 무척 소중하게 생각하는 Molan이라고 합니다.

세상이 컴퓨터나 AI, ON-LINE으로 바뀌는 시점부터 지금까지
적응하기위해 너무 어렵게 고분분투하던 중 세상을 미리 읽고 이 길을 먼저 가고 있던 한국AI작가협회를 만나 얼마나 기쁜지 모릅니다. 어깨동무하며 함께 갈 수 있는 길을 찾았거든요.

프롬25챌린지!!!
덕분에 또 다른 분야에서 제 존재를 알리게 되었습니다.
그림작가, 동화작가가 될 수 있다는 희망이란 덤까지~!

가능성이 곳곳에 존재하는 이 곳
자신과 맞게 퍼 올릴 수 있는 이 곳
진심으로 감사드립니다.

밸류네임(VALUENAME)_손경호

011 Overalls

Prompt Artwork Collection

011 밸류네임(VALUENAME)_손경호

Artwork Prompt

A romantic and feminine scene. A soft pink gradient background with delicate, flowing lines that form the shape of an abstract flower petal. A transparent overlapping scene of thin pink petals. Close-up. A look down from above. The petals have subtle gradients and shimmer in various shades from light to dark pink. . A large center where negative space creates visual depth.

로맨틱하고 여성스러운 장면. 부드러운 분홍색 그라데이션 배경과 섬세하고 흐르는 듯한 선이 추상적인 꽃잎 모양. 투명하게 겹쳐진 얇은 분홍색 꽃잎. 클로즈업. 위에서 내려다 본 구도. 꽃잎은 은은한 그라데이션을 가지며 밝은 색부터 짙은 분홍색까지 다양한 색조로 희미하게 빛납니다. 넓은 중앙에서 음각의 공간이 시각적 깊이를 만들어 냅니다.

011 Information

Contact Artist

Email.   valuename@gmail.com
SNS.   https://instagram.com/valuename
Profile.   https://valuename.qshop.ai/

Artist Comment

안녕하세요? 밸류네임 작가입니다.

한국AI작가협회의 프롬프트 챌린지 1기를 통해, 많은 작가님들과 함께 프롬프트에 대해 더 깊이 연구하고 도전하는 멋진 시간을 가질 수 있어 감사한 마음입니다. 대상 이미지를 다양한 관점에서 나만의 언어로 해석하고, 이를 다시 프롬프트로 정제하여 표현해 내는 과정은 새로운 창작의 경험이 되었습니다. 앞으로의 작품 활동에서도 보다 도전적이고 창의적인 시도를 통해, 영감과 감동을 전하는 작가의 모습으로 여러분들과 만나도록 하겠습니다.

계속해서 많은 관심과 격려를 부탁드립니다! 감사합니다.

부산여행(Busan Travel)_이재철

012 Overalls

Prompt Artwork Collection

012 부산여행(Busan Travel)_이재철

빗속의 여인 Artwork Prompt

(Masterpiece, Top Quality:1.4) Woman in colorful raincoat with red umbrella, rainy cityscape, outdoors, clear sky, summer fashion with cool, summer colors --v 6.0

(걸작, 최고 품질:1.4) 빨간 우산과 화려한 우비를 입은 여성, 비오는 도시 풍경, 야외, 맑은 하늘, 시원하고 여름 색상의 여름 패션 --v 6.0

009 Information

Contact Artist

Email.　　jc2830@gmail.com

SNS.　　　https://instagram.com/jaecheol.2

작가이력.　24.01.12~04.05　한국 AI작가협회
　　　　　　　　　　　　　　　'그림책 함께 읽기 챌린지 1기' 수료
　　　　　　　　　　　　　　　'그림책 마음을 잇다' 전시회,
　　　　　　　24.04.23~04.30　인사동 하나아트갤러리
　　　　　　　　　　　　　　　한국 AI작가협회
　　　　　　　24.05.01~05.31　프롬프트 챌린지 1기 교육과정 수료

Artist Comment

안녕하세요? AI아트 작가 부산여행(Busan Travel)/이재철 입니다.

작가는 청춘의 대부분을 대한민국 육군에서 근무했다.
ROTC 28기로 임관하여 천하제일 제1보병사단에서 포병장교로 근무를 시작하여 학군단, 육군본부, 합동참모본부 등에서 32년간 근무 후 2021년 10월 전역하였습니다. 특히, 강원도 화천 15사단에서의 8년여의 기간은 인생의 전환점이 된 시기였습니다. 바로 예수님을 만난 시기입니다.
살아오면서 고집도 쎄고, 자기 생각만 하고 살았습니다.
그런데 40살이 되면서 예수님을 만나고 모든 게 바뀌었어요!
마치 마법처럼요! 성격이 네모나서 매일 주변 사람들을 괴롭히던 제가 이제는 조금씩 둥글둥글해져 가고 있습니다.
그리고 생각하던 것보다 더 많은 좋은 일들이 일어나기 시작했답니다.
지금까지 살아오면서 잘못된 것들에 대하여 용서를 빌고, 하나님을 따르며, 언제나 주어진 여건에 감사하며, 예수님이 말씀하신 사랑을 실천하는 사람이 되고 싶습니다.

봄비(Spring_rain_ai)_이성미

013 Overalls

Prompt Artwork Collection

013 봄비(Spring_rain_ai)_이성미

Artwork Prompt

Oval perfume bottle floating in the air, jewel-like cap, perfume bottle with rose petals, red rose flowers around the bottle, kinetic energy embodied by swirls, myriad shades intertwined in a dynamic flow, movement of splashes and droplets expressed in a fluid style, indoor studio, soft background of red flowers and green plants, Canon EOS R5 camera, Canon RF 100mm f/2.8L Macro IS USM macro lens, softbox lighting, backlighting, background blur edited with aperture between f/2.8 and f/5.6

공중에 떠있는 타원형 향수병, 보석 모양의 뚜껑, 장미 꽃잎이 달린 향수병, 병 주위의 붉은 장미 꽃, 소용돌이로 구현된 운동 에너지, 역동적인 흐름으로 얽혀있는 무수한 색조, 유동적인 스타일로 표현된 물보라및 물방울의 움직임, 실내 스튜디오, 붉은 꽃과 녹색 식물의 부드러운 배경, Canon EOS R5 카메라, Canon RF 100mm f/2.8L Macro IS USM 매크로 렌즈, 소프트박스 조명, 역광, 조리개 f/2.8에서 f/5.6 사이로 배경 흐림 편집

013 Information

Contact Artist

Email.   jsgm465@naver.com

SNS.   https://open.kakao.com/o/sxH8zlqg

Artist Comment

프롬 25 챌린지 : 25일간의 도전

여행은 언제나 설레고 즐겁습니다. 특히나 프롬 25 챌린지 1기의 25일 동안의 여행은 놀랍도록 설레고 흥미로웠습니다.

 매일 미션으로 주어지는 이미지를 보고 프롬프트를 작성하는 과정은 마치 새로운 언어를 배우는 것 같았습니다. AI가 만들어 낸 이미지를 보며 어떤 이야기를 쓸지 고민하는 과정은 생각보다 재미있었습니다. 매일매일 새로운 이미지를 접하며 나도 점점 더 창의적인 아이디어를 떠올리기 위기 노력하게 되었습니다. 그리고 다음 날, 알려주신 프롬프트를 기반으로 다시 이미지를 생성하고, 또 다른 프롬프트를 작성하는 과정은 정말 흥미로웠습니다. 이 과정을 반복하면서 나의 상상력도 점점 더 넓어져 가는 것 같았습니다.

매일의 도전은 나의 창의력을 키우는 데 큰 도움이 되었습니다. AI가 만들어 낸 다양한 예술 작품을 보며 새로운 영감을 얻었고, 이를 바탕으로 더 독특한 프롬프트를 작성하는 데 도움이 되었습니다. 그리고 무엇보다, 내가 만든 프롬프트를 통해 새로운 예술 작품이 탄생하는 과정을 통해 창작의 즐거움을 느꼈습니다.

이번 25일 챌린지는 저에게 큰 성취감을 안겨주었습니다. 프롬 25 챌린지 1기와 함께한 이 경험은 저에게 새로운 예술적 시야를 열어주었습니다.

정말 기쁘고 행복한 시간이었습니다. 감사합니다.

소소한(SOSOHAN)_정진희

014 Overalls

Prompt Artwork Collection

014 소소한(SOSOHAN)_정진희

마법의 뿔소라 잔

This composition invites viewers into a mesmerizing underwater world, with a transparent coral-colored conch shell glass filled with sparkling water adorned with lemon and grapefruit slices as its centerpiece. Surrounding it, the emerald-colored sea is inhabited by dolphins playing among various marine creatures. This underwater realm exudes a sense of magic and wonder. Sunlight filters through the sea's surface, illuminating colorful fish swimming through the water, creating a beautiful landscape. The background is filled with blurred yet bright colors, rendered in an impressionistic style.

이 구성은 관람자를 매혹적인 수중 세계로 초대하는데, 레몬과 자몽 조각을 곁들인 탄산수 투명한 산호색 뿔소라 잔 중심이 됩니다. 이를 둘러싼 에메랄드빛 바다는 돌고래가 다양한 수생 생물들 사이에서 놀고 있습니다. 이 수중 세계는 마법과 경이의 느낌을 풍깁니다. 태양 빛이 바다 표면을 통과하여 물속으로 스며들어 이어진 햇빛으로 빛나는 다양한 색채의 물고기가 물을 가로질러 수영하고 있습니다. 햇빛이 비쳐 아름다운 풍경을 연출합니다. 배경은 흐릿하고 밝은 색상으로 채워져 있습니다. 인상주의 스타일로

014 Information

Contact Artist

    Email.   Sosohan1124@gmail.com

    SNS.   https://instagram.com/J_sosohan_H

Artist Comment

안녕하세요, 일상생활 속에서 소소한 행복을 찾는 소소한입니다.

소소하게 작은 행복을 찾다가 프롬프트 25 챌린지라는 새로운 도전에 참여하게 되었습니다.

챌린지는 매일 새롭게 주어지는 과제와 답을 찾으며 상상의 나래를 펼치는 시간이었으며, 프롬프트를 생성할 때마다 두근두근 뽑기 같은 결과물들로 가득했던 마법 같은 시간이었습니다.

이번 챌린지는 AI가 낯설었던 저에게 새로운 세계를 향해 길을 찾게 해주는 나침반과 같았습니다. 앞으로도 더 많은 즐거움을 찾아 노력하겠습니다.

함께해주신 여러분께 진심으로 감사드립니다.

스케치(Sketch)_김민정

015 Overalls

Prompt Artwork Collection

015 스케치(Sketch)_김민정

Artwork Prompt

미드저니

drawing + watercolor illustration of TWO CUTE TODDLER BOYS with straw hat,and butterflies and a little robin, facing a tall old brick wall overgrown with PRETTY flowers and plants, WITH An open SMALL ARCHED DOOR. entering secret garden on other side through a small ARCHED wooden door the same height as them. in the style of whimsical children′s book illustrator, dark beige and orange, warm tones, free brushwork, captivating portraits, animated gifs, folkloric portraits.

밀짚모자를 쓴 두 명의 귀여운 유아 소년, 나비와 작은 울새가 열린 작은 아치형 문과 예쁜 꽃과 식물로 자란 크고 오래된 벽돌 벽을 마주하고 있는 그림 + 수채화 그림. 그들과 같은 높이의 작은 아치형 나무 문을 통해 반대편 비밀의 정원으로 들어갑니다. 기발한 아동 도서 일러스트레이터 스타일, 짙은 베이지색과 오렌지색, 따뜻한 톤, 자유로운 붓놀림, 매혹적인 초상화, 애니메이션 GIF, 민속 초상화.

015 Information

Contact Artist

Email.   chorogbyul@hanmail.net

Artist Comment

안녕하세요. 스케치 작가입니다.

이번에 프롬프트 챌린지 1기에 참여하면서 그림을 글로 묘사하고 AI의 도움을 받아 글을 다시 그림으로 탄생시키며 미술 세계에 발을 들여놓으면서 참 즐거웠습니다.

감각있고 훌륭하신 다른 작가님들의 작품을 매일 보고 배우면서 영광이었습니다. AI와 디지털 시대의 흐름에 함께 하면서 앞으로도 예술의 세계에서 함께 하고 싶습니다.

KAAAPromptChallenge 25 #001

스튜(STEW)_변아롱

016 Overalls

Prompt Artwork Collection

016 스튜(STEW)_변아롱

Artwork Prompt

A cat sitting in front of the convenience store "24H Focus Mart" at an intersection, simple drawing style, Japanese animation style, Qversion manga artstyle, color blocks, simple lines, white background, Miyazaki Hayao's cartoon handdrawn illustration, high definition, high resolution, high detail, masterpiece, best quality

교차로 편의점 "24H 포커스마트" 앞에 앉아있는 고양이, 심플 드로잉 스타일, 일본 애니메이션 스타일, Qversion 만화 아트 스타일, 컬러 블록, 심플 라인, 흰색 배경, 미야자키 하야오 만화 핸드 드로잉 일러스트 스타일, 고화질, 고해상도, 고세부, 명작, 최고 품질

016 Information

Contact Artist

Email.   aninara2040@naver.com
SNS.   https://instagram.com/stew_ai

Artist Comment

안녕하세요, 스튜입니다.

이번에 프롬프트 챌린지 1기에 참여하면서 여러 우여곡절이 많았지만 이렇게 무사히 책까지 나오게 되어 감개무량한 마음입니다.
챌린지를 시작해주신 노바에듀 이사장님과 열심히 서포트를 도와주신 돌뿌님, 프롬프트북 디자인의 일등공신인 곰딴님, 그리고 함께 프롬프트 챌린지를 함께 해주신 동기 작가님들의 열띤 열정에 한 달이라는 시간이 지나가는 줄도 몰랐던 것 같아요.
앞으로도 25 챌린지가 쭉 이어지면 정말 좋을 것 같아요.
다시 한 번 프롬프트 챌린지에 참여해주신 여러분들 정말 고생 많으셨고, 너무 즐거웠습니다. 또 다른 기수에서 뵈었음 좋겠습니다.
감사합니다.^^

시고르자브종(SIGORJAVJONG)_김정균

017 Overalls

Prompt Artwork Collection

017 시고르자브종(SIGORJAVJONG)_김정균

Artwork Prompt

For our vision page, create stunning images in the style of Gerard's Richter that visually summarize the essence of the "Eternal Perfume" company. Do not include perfume bottles. It unites the memory-evoking power of scent, the meticulous composition of perfume as a blend of art and science, and the company's mission to take people on an olfactory journey.

Describing Eternal Perfume as more than just a perfume company, it emphasizes a harmonious fusion of artistic, scientific and people-friendly influences. In other words, it transforms people through scent: a symphony of life experiences, a tribute to the artistic science of scent, and powerful language.

"Eternal Perfume" 기업의 본질을 시각적으로 요약하는 Gerard의 Richter 스타일로 멋진 이미지. 향기의 기억을 일깨우는 힘, 예술과 과학의 조화인 향수의 세심한 구성, 그리고 사람들을 후각 여행으로 데려가려는 회사의 사명. Eternal Perfume을 단순한 향수 회사 이상으로 묘사하여 예술적, 과학적, 사람 친화적적 영향의 조화로운 융합을 강조.

017 Information

Contact Artist

Email.   hdchaos@naver.com
SNS.   https://instagram.com/sigorjavjong_nft
            https://x.com/JKperfumer
Littly.   https://litt.ly/sigorjavjong

Artist Comment

안녕하세요 향수 작가 시고르자브종입니다.

 저는 각 사람의 마음, 감정, 꿈을 섬세한 향기로 표현하는 작업을 하고 있습니다. 이를 통해 개인의 독특한 삶과 꿈을 향으로 그려내고자 합니다. 저의 작품에서 각 향수병은 하나의 인생을 닮아 있습니다. 이는 각자의 스토리를 통해 모든 사람이 세상에서 유일하고 소중한 존재임을 전합니다. 이를 위해 저는 AI를 이용해 향과 향수의 이미지를 작업하고 있습니다.

 이번에 프롬프트 챌린지 1기에 참여하면서 제가 표현하고자 하는 향을 시각화하는 묘사와 표현력을 크게 키울 수 있었습니다. 이사장님의 프롬프트에 대한 감각을 배우고, 함께 참여한 1기 작가님들의 작품을 보며 많은 영감을 얻을 수 있는 멋진 챌린지였다고 자부합니다.

알엠알엘+아이캔두잇(RMRL+ICANDOIT)_Cleo Kim

018 Overalls

Prompt Artwork Collection

018 알엠알엘+아이캔두잇(RMRL+ICANDOIT)_Cleo Kim

Artwork Prompt

A cup of ice water with orange slices and green leaves floating in it splashes onto the beach under a blue sky with white clouds, and a bouquet of flowers is thrown toward the sky, creating a brightly colored and vibrant oil painting in the style of an oil painting. Inside the cup, a cute little human AI robot is standing tall and saluting

오렌지 조각과 초록 잎이 떠 있는 얼음물 컵이 흰 구름이 있는 파란 하늘 아래 해변에 튀고, 꽃 다발을 하늘을 향해 던져져 유화풍의 화사하고 생동감 넘치는 유화 한 폭을 연출합니다. 컵 안에 는 귀여운 인간형 인공지능 로봇이 우뚝 서서 귀엽게 경례를 하고 있네요~

018 Information

Contact Artist

Email.   ricmindnrichlife@gmail.com
SNS.   https://instagram.com/rmrl_icandoit
            https://instagram.com/ubuntu_icandoit
            https://twitter.com/RRichlife

Artist Comment

안녕하세요! RMRL+ICANDOIT '클레오킴'입니다.

2024년의 시원한 여름을 보내기 위해 즐거운 프롬프트를 연구하는 일이 무더운 날씨를 날려 보내는 일이라는 게 참 재미있었습니다.

이번 상반기의 프롬프트 챌린지에 참여하면서 사물을 보는 시야가 좀 더 확장되었습니다. 앞으로도 많은 AI를 연구하고 도전하는 사람들이 자신이 만들고자 하는 이미지와 작품들을 생성하기 위해 많은 서적과 글들을 보고 연구하기를 바랍니다.

항상 도전한다는 것은 새로운 세계에 도전임을 느낍니다. 함께 도반이 되어 서로 서로가 도움이 되는 것이 참 좋았습니다. 모두 행복한 나날들을 보내시고 하고자 하는 일에 행운이 가득하시길 바랍니다.

Happiness comes from within! Dreams come true!
I can do it, you can do it. We can do it!! Have a good day!

애니영(Aniyoung)_안순영

019 Overalls

Prompt Artwork Collection

019 애니영(Aniyoung)_안순영

Artwork Prompt

Illustration, back view of young girl, black hair braided into one, orange short-sleeved dress, flowers and butterflies around her, brick and wooden archway in front, orange, pale orange, pale brown

일러스트, 어린 소녀의 뒷모습, 하나로 땋은 검은 머리, 주황색 반팔 드레스, 그녀 주변의 꽃과 나비, 앞의 벽돌과 나무 아치, 주황색, 옅은 주황색, 옅은 갈색

019 Information

Contact Artist

Email.   hades126@naver.com

SNS.   https://instagram.com/aniyoung2021

Artist Comment

안녕하세요. 애니영(Aniyoung) 작가입니다.

이번에 프롬프트 챌린지 1기에 참여하면서 여러 작가님들과 함께 즐거운 한 달을 보냈습니다. 처음에는 정신없이 이것저것 무작정 만들어보았는데 하다 보니 다양한 결과물이 나오게 되었네요.

다 같이 함께했기 때문에 가능했다고 생각합니다.
모두들 고생 많으셨고 앞으로도 더욱 다양하고 창의적이고 새로운 이미지를 함께 만들어 갔으면 좋겠습니다.

감사합니다.

에스피(SP)_신동국

020 Overalls

Prompt Artwork Collection

020 에스피(SP)_신동국

Artwork Prompt

A husband robot is holding the hand of a wife robot
and drawing a picture with the Eiffel Tower in the background.
The wife robot is cheering for the picture next to the husband robot,
The creative appearance of robots is interesting,
The fun appearance of the two catches the attention of people around them.

남편로봇이 부인로봇의 손을 잡고 에펠탑을 배경으로 그림을 그리고 있습니다.
부인로봇은 남편로봇의 옆에서 그림을 응원하고 있고,
로봇들의 창의적인 모습이 흥미롭고,
둘의 재미있는 모습이 주변 사람들의 시선을 사로잡습니다.

020 Information

Contact Artist

Email.   spsp1227@naver.com

Artist Comment

안녕하십니까?

AI로 작품 이미지를 생성하려고 노력하면서,
노바에듀님이 당일 과제물을 내주시면,
똑같은 이미지를 만들기 위해서 다양한 방법으로 시도해 보았고,
익일 전일 과제물 정답 프롬프트를 주시면 이미지를 생성한 후
비교해보고
음미하고, 보완하고, 예측하고, 새로 시도하는 과정속에서
내 나름의 이미지 만드는 시스템 알고리즘을 만들고, 정립하는 계기가
되었고,

AI 생성 언어의 무한한 공간을 바라보면서,
어려움과 두려움과 소중한 추억을 남기면서..
신의 한 수를 찾기 위해서 고민해 보았던 그 순간들을 담아갑니다.

오린(Orin)_최선희

021 Overalls

Prompt Artwork Collection

021 오린(Orin)_최선희

Artwork Prompt

A young adventurer facing a tall, old brick wall covered in beautiful flowers, plants, and butterflies, in a watercolor style with whimsical fantasy touch. Dark beige and orange warm tones, free brushwork, enchanting and captivating portrait. Small arched wooden door opening to a secret garden, a small robin at his height entering the garden with him. Magical, folk portrait feel

젊은 모험가가 아름다운 꽃, 식물, 나비로 덮인 오래된 높은 벽을 마주하고 있는 장면, 수채화 스타일로, 신비로운 판타지 터치가 있는 그림. 어두운 베이지와 주황색 따뜻한 톤, 자유로운 붓질, 매혹적이고 마음을 사로잡는 초상화. 작은 아치형 나무 문이 비밀 정원으로 열리며, 작은 로빈 새가 그의 높이에 맞춰 그와 함께 정원에 들어가는 장면. 마법 같고 민속적인 느낌.

021 Information

Contact Artist

Email.   sunsusunsu25@naver.com

SNS.   https://instagram.com/sunsusun25

Blog.   blog.naver.com/sunsusunsu25

Artist Comment

안녕하세요 AI아트 작가 오린/최선희 입니다.

온라인으로 만난 작가분들과 AI의 날개를 달고 가장 짧으면서도 가장 긴 1달간의 여행이 드디어 끝이 났습니다. 밤새 프롬프트와 씨름하며 '아..내가 왜 이 챌린지에 참여했지?'라고 생각한 순간도 있었지만, 동료 작가들의 작품을 볼 때마다 '역시 잘했어!'라는 생각이 들더라고요.

이 책을 펼칠 때마다 우리의 상상력이 만들어낸 세계를 거닐 수 있다는 게 얼마나 신나는 일인지 모르겠습니다. 이 책을 감상하시는 여러분도 AI와 인간의 콜라보레이션이 빚어낸 마법 같은 순간들을 함께 즐기셨으면 좋겠습니다.

30일, 25명의 작가, 그리고 여러 번의 시행착오 끝에 탄생한 이 아트북은 우리의 열정과 도전 정신의 결정체입니다. 때로는 좌절도 있었지만, 그 과정에서 우리는 서로를 격려하고 영감을 주고받으며 성장했습니다.

마지막으로, 1달 동안 밤새 프롬프트를 주무르시느라 고생하신 25분의 동료 작가님들께 박수를 보냅니다. 우리 모두 이제 AI아트 전문가가 된 것 같네요. 이 여정은 끝이 아닌 새로운 시작입니다. 저는 계속 AI와 펜과 키보드를 들고, 새로운 도전을 향해 나아가려 합니다. 함께 만들어간 이 특별한 경험에 감사드리며, 앞으로도 계속될 AI와 인간의 아름다운 협주곡을 기대해봅니다.

토토지(TOTOJI)_지승주

022 Overalls

Prompt Artwork Collection

022 토토지(TOTOJI)_지승주

Artwork Prompt

The illustration of a young girl joyfully riding her bicycle through a city street, as described. The scene is vibrant and full of energy, capturing the essence of a bustling urban environment with a blend of realism and animation aesthetics

일본어로 된 상점과 간판이 늘어선 도시 거리를 자전거를 타고 즐겁게 달리는 어린 소녀의 밝고 햇빛이 비치는 장면을 묘사. 배경은 분주하고 세밀하여 분주한 도시 환경. 소녀는 활기차게 앞을 바라보고 있고, 흥분된 눈을 크게 뜨고 있으며, 바람에 머리카락을 휘날리며 현장에 생동감과 생동감. 작품은 사실주의 요소와 애니메이션 미학을 결합한 스타일로 다채롭고 역동적. 자유로움과 도시 생활의 일상적 활력을 전달하기 위해 의도된 애니메이션 영화나 그래픽 소설의 한 장면.

022 Information

Contact Artist

Email.   stepano0116@gmail.com
SNS.   https://instagram.com/totonftartist
Channel.   https://youtube.com/@user-rd6dk2qq6z

Artist Comment

원행이중(遠行以衆) : 함께 해야 멀리 간다

안녕하세요 토토지(totoji) 작가입니다. 이번에 프롬프트 챌린지 1기에 참여 하면서 즐거웠고 그림을 보고 묘사하는데 너무 힘들고 생각을 많이 하게 되었습니다. 프롬프트가 쉽게 나오기도 하지만, 생각보다 따라주지 않을 때 여러번 작업을 해야 하고 다음날 프롬프트를 제공 받고보면 허무할 때가 많았지요. 저렇게 간단하게 프롬프트를 표현해도 멋진 그림이 생성 되는것을 보고는 놀랍다는 생각뿐이었습니다. 이제 어렵게 만든 프롬프트를 모아 전시와 책으로 출간한다니 가문의 영광입니다. 함께 해주신 메타에듀님과 루돌뿌님, 스튜작가님 그리고 함께 참여해주신 여러 작가님들께 감사합니다!

2024년 7월 중순에 토토지 올림.

트랙3(track3)_강지선

023 Overalls

Prompt Artwork Collection

023 트랙3(track3)_강지선

Artwork Prompt

A girl riding her bike in front of the big outside aquarium,simple drawing style, Qversion manga artstyle, color blocks, simple lines, white background, Miyazaki Hayao's cartoon hand-drawn illustration, high definition, high resolution, high detail, masterpiece, best quality

큰 수족관 앞에서 자전거를 타고 있는 소녀, 심플한 드로잉 스타일, Qversion 만화 아트 스타일, 컬러 블록, 심플한 선, 흰색 배경, 미야자키 하야오의 만화 핸드 드로잉 일러스트, 고화질, 고해상도, 고세부, 명작, 최고의 퀄리티

023 Information

Contact Artist

Email.   jeesun05@gmail.com
Channel.   https://litt.ly/track3
Book 1   고양이 선장 뿌뿌와 피자해적단(작가와)   AI 전자책
Book 2   엄마가 좋아하던 자장가 이야기(교보문고)   AI 동화책
Co-author1 7가지 빛깔 감성동화   AI 동화책 공저

Artist Comment

안녕하세요, track3 작가입니다.

동화 같은 그림을 그리는 작가입니다.
AI작가협회를 통해 AI 그림그리기 등을 배워 좋아하는 동화책과 접목한 활동을 이어오고 있습니다. 프롬프트 25, 1기 챌린지를 통해 저의 두 번째 공저 책을 출간하게 되어 기쁘고, 감사합니다. 이번 챌린지를 통해 다양한 스타일의 프롬프트를 적용해 볼 수 있어서 좋았고, 매일이 여행하는 기분이었습니다.

AI작가협회의 그림1기 챌린지를 통해서는 "엄마가 좋아하던 자장가 이야기"라는 종이 동화책을 교보문고에 출간하였습니다. 저의 첫 번째 AI 동화책은 "고양이 선장 뿌뿌와 피자해적단" 전자책입니다. 육아하면서 아이와 같이 동화책을 함께 읽는 시간이 가장 행복합니다. 사랑스러운 아이 자체가 저의 모든 영감입니다.

동화책을 읽고 AI로 그림을 그리는 활동을 하며 다시금 진정한 저 자신을 발견해 나갑니다. 마냥 말 잘 듣는 착한 아이가 좋은 줄 알았던, 그 옛날의 어린 나를 향해 찾아가 보게 됩니다. 아직은 조금 어렵지만, 나 자신의 단점까지 외면하거나 미워하지 않고, 사랑하며 나눔을 실천하고 성숙해 가는 작가가 되고 싶습니다. 이번 공저는 나 자신에게 주는 선물이기도 합니다.

프리마인드(FreeMind)_조형준

024 Overalls

Prompt Artwork Collection

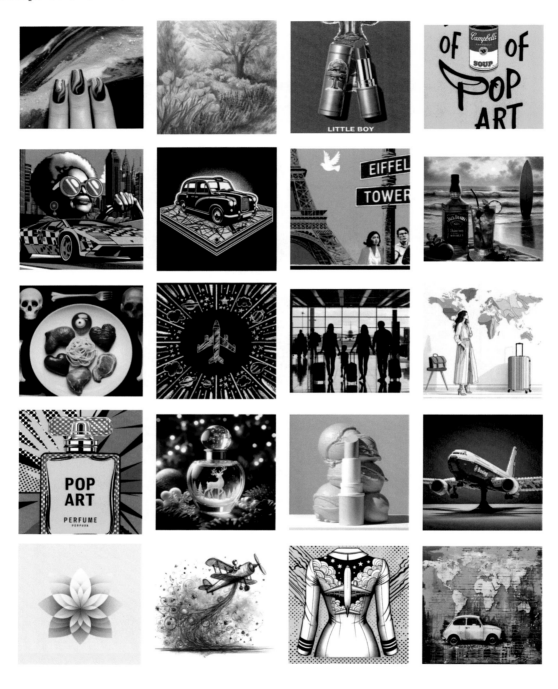

024 프리마인드(FreeMind)_조형준

Artwork Prompt

A skull-cranial perfume Didiin with the scent of cool, dark, and cold death of death based on the Stex River, the river of death in Greek mythology.

이 향수는 그리스 신화의 스틱스 강에서 영감을 받아 제작되었습니다. 해골 형상의 향수병은 죽음과 신비로움을 상징하며, 강 물의 차가운 향과 죽음의 상징적인 이미지를 나타냈습니다. 신화 속 스틱스 강의 신비로운 분위기를 현대적으로 재해석한 이 작품을 통해 죽음의 향기를 느껴보시기 바랍니다.

001-Information

Contact Artist

Email.   junbest0306@gmail.com

Artist Comment

프리마인드(FreeMind)_조형준입니다.

안녕하세요
프롬25 여행 챌린지에 참여하게 되어 책까지 내게 되었네요
이번에 좋은 경험을 통해 한층 성장하는 계기가 되었습니다.

엘라(ELLA)_강현정

025 Overalls

Prompt Artwork Collection

025 엘라(ELLA)_강현정

Artwork Prompt

Abstract flower illustration images, a pleasant scent that spreads subtly after a woman passes by, are expressed in lines. It creates a soft, sophisticated, and subtle scent with flowers.

추상적인 꽃 일러스트 이미지, 여성이 스쳐가고 난뒤 은은히 퍼지는 기분좋은 향기를 선으로 표현한다. 부드럽고 세련되고 은은한 향기를 꽃으로 연출합니다.

025 Information

Contact Artist

    Email.   hjdryad@nate.com

    SNS.   https://www.instagram.com/hjkang1211

Artist Comment

엘라(ELLA)_강현정

안녕하세요, AI이미지작가 [엘라(ELLA)]입니다. 저는 밝고 따뜻한 색채를 통해 행복과 기쁨을 전할수 있기를 추구하며, 감상하시면서 작은 행복을 느끼실 수 있기를 바랍니다.

이번 프롬프트 챌린지 1기에 참여 하게 되어 즐거웠습니다. 창작 과정에서 많은 배움과 영감을 받았고, 이 기회를 통해 에듀쌤, 스튜쌤, 돌뿌쌤을 포함한 1챌린지1기 멤버분들과 함께 할 수 있어서 감사한 마음을 전합니다. 앞으로도 따뜻한 행복을 나누는 작품을 열심히 하겠습니다. 많은 관심 부탁드리며, 감사합니다.

Prompt Archive Book _ KAAA Prompt Challenge 25 #001

발 행 | 2024년 07월 23일
저 자 | 한국AI작가협회, 김예은 외 25명
펴낸이 | 한건희
펴낸곳 | 주식회사 부크크
출판사등록 | 2014.07.15(제2014-16호)
주 소 | 서울특별시 금천구 가산디지털1로 119 SK트윈타워 A동 305호
전 화 | 1670-8316
이메일 | info@bookk.co.kr

ISBN | 979-11-410-9664-9

www.bookk.co.kr